CW00969969

COLLECTION FOLIO

Michèle Lesbre

Écoute la pluie

Gallimard

Michèle Lesbre vit à Paris. Elle a publié notamment *Boléro* (2002), *Un certain Felloni* (2004), *La Petite Trotteuse* (2005), prix des libraires Initiales, *Le canapé rouge* (2008), prix Mac Orlan et prix des libraires Mille Pages, *Sur le sable* (2009), *Disparitions bucoliques* avec Gianni Burattoni (2010), *Un lac immense et blanc* (2011) et *Écoute la pluie* (2013).

Quand j'écris sur la mer, sur la tempête, sur le soleil, sur la pluie, sur le beau temps, sur les zones fluviales de la mer, je suis complètement dans l'amour.

MARGUERITE DURAS

Lorsque j'ai jeté un œil sur ma montre, hier soir, il était grand temps que je quitte l'agence. J'ai couru jusqu'à la station de métro, je ne voulais pas rater le train pour te rejoindre à l'hôtel des Embruns. Je pensais que, de ton côté, tu étais peut-être sur le chemin de la gare de Nantes. J'essayais de t'imaginer, sac noir sur le dos et petite valise. Depuis que nous ne vivons plus dans la même ville, quelques terrains vagues se faufilent entre nous, ceux de nos imaginaires, qui parfois me font peur. Où es-tu dans l'instant même où je pense à toi, à qui parles-tu ? Pourtant j'aime ces zones d'ombre, elles nous permettent de ne pas laisser l'ennui et l'habitude nous grignoter peu à peu.

Sur le quai du métro, il n'y avait que quelques voyageurs et un vieil homme près duquel je me suis arrêtée. Il portait un imperméable beige et tenait une canne. Sur l'autre quai, une publicité pour des sous-vêtements masculins révélait le corps lisse et hâlé d'un jeune athlète, peut-être ai-je un souvenir précis de cette affiche à cause du petit homme voûté, de sa canne, de ce face-à-face insolite.

J'attendais la prochaine rame de métro. Sur le mur de faïence, des traces de sang séché dessinaient un relief sauvage où se lisait la violence ordinaire. Il me semble maintenant que le vieil homme, l'affiche et les traces de sang, cette proximité hasardeuse, annonçaient ce qui allait advenir quelques secondes plus tard, mais dans l'instant je n'ai rien perçu de cette menace, j'étais dans la parenthèse de l'attente, j'avais ce train à prendre pour te rejoindre, j'étais déjà un peu en retard.

À un moment, mon regard a croisé le sien. Il m'a souri, je lui ai souri aussi. Il avait une allure assez délurée malgré la canne et sa voussure, une sorte d'élégance fragile, quelque chose de désuet mais de charmant. Je m'en amusais, et puis j'ai pensé à toi, à nous, à notre rendez-vous. Il y avait dans son sourire l'esquisse d'une certitude dont je voulais qu'elle nous ressemble dans ce moment un peu trouble de notre histoire. Son corps paraissait flotter sous l'imperméable. J'ai pensé au jour où nous aurions son âge, à un temps que j'espérais infiniment long, à nos projets de voyage, à l'odeur un peu sucrée de ta peau.

Puis le ronflement sourd de la rame qui s'approchait à grande vitesse a provoqué un frémissement parmi les rares voyageurs. Le vieil homme s'est tourné vers moi avec toujours ce sourire limpide, j'ai cru qu'il allait me demander quelque chose, mais il a sauté sur les rails comme un enfant qui enjambe un buisson, avec la même légèreté.

Des cris se sont mêlés au bruit strident des freins, l'imperméable beige a disparu sous la première voiture, le conducteur a jailli de sa cabine et s'est jeté contre un mur en sanglotant. Tout s'est figé. Une appréhension collective, un effroi tenaient les corps debout avant de les abandonner à l'hystérie. J'ai couru vers la sortie et encore dans la rue, jusqu'à ne plus pouvoir respirer.

J'ai emprunté un itinéraire de hasard, m'enfonçant dans la ville comme dans une terre inconnue, en quête d'un endroit où l'image du vieil homme ne m'atteindrait plus, où je n'entendrais plus les crissements des freins ni les sanglots du conducteur. J'avais oublié l'heure du train, je ne pensais à rien, j'étais dans le vertige d'une chute qui n'en finissait pas et, de temps à autre, je m'adossais à une vitrine pour ne pas céder au vide.

Tu étais sans doute déjà à l'hôtel, et de la fenêtre de la chambre tu te laissais bercer par les vagues, mais j'étais incapable alors d'imaginer cet instant, je crois même que j'avais oublié notre rendez-vous, quelque chose s'était rompu et j'étais suspendue au-dessus d'un précipice. C'est ainsi que je me suis perdue, en m'abandonnant à une douce impuissance, naufragée en quelque sorte, tandis que tu étais peut-être à l'abri dans le décor de la chambre qui était devenue nôtre. Nous réservons toujours la même, nous aimons ce minuscule espace encombré qui s'ouvre sur la plage, les oiseaux de mer qui viennent parfois jusque sur le rebord de la fenêtre et nous donnent l'illusion d'être au large. Nous aimons les draps rêches de madame Odette, sous lesquels nos corps glissent dans des profondeurs silencieuses. Il y a entre ces murs un étrange dépaysement, faisant naître en nous un sentiment naïf et joyeux d'exil qui nous rend frileux et nous jette l'un contre l'autre. Si tu étais déjà là-bas, tu ignorais qu'au même instant je me noyais dans des rues désertes où l'été finissant dévoilait encore des jambes et des dos nus. Tu croyais peut-être m'apercevoir, marchant sur le sable et te faisant signe de me rejoindre. Tu irais bientôt m'attendre à la gare où je ne serais pas, nous n'irions peut-être plus jamais à l'hôtel des Embruns, quelque chose de nous gisait sous les roues du métro. Un bateau avait sombré, que tu ne pouvais apercevoir au-delà des vagues qui te berçaient, tu ne pouvais deviner que le corps d'un vieil homme avait disparu sous une tempête de ferraille, ni que je tournais à droite et à gauche comme si je voulais fausser compagnie à ce qui me poursuivait, l'instant suspendu où l'imperméable beige se déployait comme les ailes d'un oiseau atteint en plein vol. Les sanglots du conducteur de la rame se faufilaient dans la rumeur de la ville, accompagnaient la chute ralentie du corps, se perdaient et revenaient. J'avançais comme une somnambule, je t'imaginais sur la plage, je te voyais disparaître dans les vagues, ouvrir les bras et fermer les yeux comme tu le fais lorsque tu es heureux et que tu ne sais comment le dire. Je courais comme une voleuse, on se retournait sur moi, j'ai failli renverser une femme qui tenait son chien en laisse et m'a insultée, j'ai traversé une rue au feu rouge, une voiture s'est immobilisée, un homme en est sorti et a crié des mots dans une langue que je ne connaissais pas, je ne savais plus où j'étais.

Je me suis arrêtée pour reprendre mon souffle. Je ne saurais retrouver la rue, mais je me souviens très bien de la boutique. C'était une minuscule boutique avec en vitrine une robe verte. Je suis entrée sans réfléchir. La vendeuse, une jeune femme enceinte au visage transparent, s'est levée de sa chaise et j'ai montré la robe, vert pomme, très simple, courte mais pas trop, un peu décolletée, avec des plis sur le devant et une ceinture nouée dans le dos, mais tu te moques de ce genre de détails. J'ai dit que je désirais l'essayer. Dans la cabine, une fois déshabillée, j'ai affronté le miroir et je ne me reconnaissais pas, je n'étais plus la même, l'éclairage sans doute, une lumière blafarde tombait du plafond avec une effarante cruauté.

Je m'efforçais de ne penser à rien. J'ai enfilé la robe, elle m'allait plutôt bien. Je ne mets jamais de robe, était-ce notre rendez-vous qui soudain me donnait cette envie extravagante, ou parce que je voulais me rassurer, me prouver que j'étais vivante ? La jeune femme m'a demandé si elle était à ma taille, j'ai répondu qu'elle était parfaite.

Je l'ai achetée et je suis repartie en décidant de passer chez moi pour t'appeler, te dire que je ne viendrais que ce matin, prétextant un rendez-vous de dernière minute. J'ai cherché le chemin le plus court car je m'étais égarée et je ne savais plus du tout où je me trouvais, je ne savais plus comment reprendre le cours normal des choses, me précipiter quand même à la gare, attraper le premier train possible, je voyais toujours la maigre silhouette du vieil homme dans son envol et la motrice de la rame l'engloutir. Chaque fois je devais m'arrêter quelques secondes pour ne pas tomber avec lui, je veux dire pour ne pas tomber moi aussi.

Quand je suis arrivée devant le bar où nous allons souvent boire un café lorsque tu dors chez moi, j'ai réalisé que j'avais vraiment acheté une robe puisque je tenais le sac en papier et qu'elle était bel et bien à l'intérieur. C'était comme si je l'avais fait dans une sorte d'inconscience, un geste impossible, en temps ordinaire je ne l'aurais même pas remarquée dans la vitrine. Je t'imaginais soudain me découvrant sur le quai de la gare, ébahi, me demandant si nous étions invités à un thé dansant. Je l'ai déposée sur un banc près du square.

Quand je suis arrivée chez moi, j'ai tout d'abord appelé l'hôtel. Tu n'y étais pas encore. Madame Odette m'a dit, *À ce soir*, j'ai dit, *J'espère*, et ça n'avait aucun sens.

J'ai pris un bain, longtemps. Sur le mur carrelé de blanc je voyais la tache de sang séché, le quai du métro, le corps hâlé du jeune athlète. Je voyais l'imperméable beige s'ouvrir comme une voile de bateau qui chavire, j'ai pleuré.

En sortant de la salle de bains, j'ai repensé à la robe et j'ai décidé d'aller la reprendre. J'ignorais pour quelle raison exactement, je la voulais, c'était tout. Je suis descendue, j'ai traversé la rue et j'ai constaté qu'elle n'était plus sur le banc. J'ai failli pleurer de nouveau en pensant que je faisais n'importe quoi. Il y avait déjà longtemps que l'heure du train était passée.

La dernière fois que nous sommes allés à l'hôtel des Embruns, tu revenais de Trieste, tu étais allé faire des photographies du vieux port, de ce qu'il en restait, un immense cadavre abandonné depuis longtemps que la mer érodait et où le silence, selon toi, ne parvenait pas à engloutir la rumeur d'une vie d'avant, celle des hommes au travail, du va-et-vient des bateaux, du chant des grues, d'un passé flamboyant. Tu étalais sur le lit quelques-uns de tes clichés en me les commentant. Tu les montrerais à plusieurs galeries en rentrant à Paris. Tu aimais cette ville frontière qui dévale la montagne et où tu avais marché des jours entiers. Tu me montrais la grue Ursus dont le long cou surplombait les ruines alentour et que défendaient quelques nostalgiques refusant sa destruction. Tu avais tes habitudes au café San Marco qu'avaient assidûment fréquenté Umberto Saba, Svevo, Joyce, et sans doute Claudio Magris aujourd'hui. Tu avais trouvé la librairie de Saba, toujours là plus de cinquante ans après sa mort, dans la rue San Nicolo, identique, me disais-tu, à ce qu'elle est sur les photographies montrant le poète dans son petit univers, où les livres grimpaient et grimpent encore le long des murs, serrés les uns contre les autres et jaunis par le temps. J'aime les villes que tu enfermes dans tes objectifs, tes zooms, tes grands-angles, elles s'offrent à moi dans ton regard et souvent je n'ose imaginer les atteindre tant elles semblent t'appartenir. Je me contente de les rêver grâce à tes images et à tes commentaires.

C'est à l'une de tes expositions que nous nous sommes retrouvés, une rétrospective de ce que tu avais fait à la fin des années soixante à Saint-Ouen, où l'on pouvait voir quelques clichés de la grève chez Wonder, de La Chope des puces où des gitans viennent encore gratter leurs guitares pour les badauds du dimanche, de vies ordinaires. Tes premiers travaux.

Nous nous étions perdus depuis longtemps, je me souviens avoir reconnu ta voix avant même de t'apercevoir parmi les gens qui se croisaient dans la salle. Tu disais que les ciels de Turner reflétaient la tourmente de la révolution industrielle, je te trouvais quelque peu emphatique et me demandais si ces mots étaient les tiens, j'en doutais. Je ne m'étais pas approchée tout de suite, j'avais d'abord regardé les photographies, dont certaines me restent en mémoire. Je revois l'homme, torse nu, se rasant devant un minuscule miroir suspendu au mur, émergeant à peine d'une brume épaisse, sans doute celle des douches après le labeur. Je me souviens aussi du jeune garçon debout devant la chaîne d'un atelier de tôlerie, beau comme un ange, fumant la cigarette de la pause avec dans les yeux une jeunesse radieuse, mais un sourire incertain, et puis ce vieux couple attablé dans une cuisine modeste et vieillotte, buvant un café, elle donnant un sucre au chien qu'elle tient sur ses genoux, lui accompagnant d'un geste des mots inaudibles dont on ne sait à qui ils s'adressent. Il y avait dans tous ces instantanés pris en noir et blanc quelque chose de toi que je reconnaissais, que sans doute tu ne sais exprimer que dans les furtives apparitions dont tu captes si bien l'essentiel. Les mots, m'as-tu confié un jour, ne te semblent jamais à la hauteur.

Quand je m'étais approchée, tu argumentais sur la phrase que j'avais entendue de loin. Tu t'étais interrompu et nous avions éclaté de rire sous le regard perplexe de ton auditoire. C'était il y a cinq ou six ans, je ne sais plus. Tu as dit, *Nous ne sommes pas loin de la mer, allons-y*, et nous sommes partis.

À l'hôtel des Embruns nous avions loué la chambre bleue, et nous étions allés trotter sur la plage, sans dire un mot, il n'y avait rien à dire, on se connaissait depuis longtemps. Je t'entendais souffler dans mon dos, j'avais des ailes, tu me suppliais de ralentir. Et puis nous étions retournés dans la chambre, emportés par le désir. Nos corps sentaient la mer, nous l'entendions se fracasser sur les falaises et tu avais murmuré qu'elle venait à notre rencontre, puis nous nous étions engouffrés dans le lit jusqu'à la nuit. Madame Odette, dont nous ignorions alors le prénom, avait téléphoné pour savoir si nous désirions dîner, mais nous n'avions besoin de rien et nous nous étions rendormis. Nous sommes revenus presque chaque semaine lorsque nos emplois du temps le permettaient, puis un peu moins souvent, puis nous avons cessé, sans raison précise.

Hier soir devait être le grand retour, comme me l'a fait remarquer madame Odette lorsque j'ai appelé pour retenir la chambre. *Vous n'allez pas la reconnaître*, a-t-elle déclaré, *nous les avons toutes rénovées.* Je n'ai pas aimé cette nouvelle, comme si elle pouvait être porteuse d'autres bouleversements. *Mais il y a toujours la mer*, a-t-elle poursuivi avec un petit rire malicieux.

Je me souviens d'une fois où tu étais arrivé très en retard, tu étais tombé en panne en rase campagne et n'avais pu me prévenir. J'avais attendu en marchant sur le sable jusqu'à la tombée de la nuit, pensant que peut-être tu ne viendrais pas, que cette histoire que nous tentions de poursuivre nous échappait de nouveau, que tu étais incapable de faire face à cet échec et que tu avais choisi de fuir. Puis tu avais surgi en pleine nuit, épuisé et en sueur. Je n'avais posé aucune question, nous étions allés dormir sur la plage.

Tu sentais l'huile chaude et l'essence et voulais à tout prix m'expliquer la panne qui t'avait retenu si longtemps. J'écoutais sans comprendre le sens des mots de mécanique, tout en surveillant la mer qui se rapprochait, lente et déterminée, noire sous la lune, blanche à la crête des vagues. Les éclairs lointains d'un phare clignotaient. *Haute mer de nos solitudes*, pensais-je avec grandiloquence. J'avais marché jusqu'à l'eau puis, en me retournant, m'étais sentie perdue dans la nuit où je distinguais à peine une tache sombre allongée sur le sable. J'avais eu peur, j'étais revenue vers toi en courant. Tu dormais comme un enfant, je t'avais pris dans mes bras.

Il faisait jour lorsque nous nous étions réveillés. Tu voulais que je te suive en Irlande, jusqu'à Sligo où nous aurions loué une roulotte et son cheval pour longer la côte et fréquenter les pubs le soir. Nous n'avons pas fait ce voyage, nous en avons fait d'autres. Les voyages nous ont beaucoup portés, les retours nous ont perdus parfois.

Il est encore trop tôt pour t'appeler, même si j'imagine que depuis hier soir tu te demandes pourquoi je ne suis pas venue. Le voyant rouge du répondeur clignote toujours dans la demi-obscurité du couloir, je suis incapable de l'écouter. Je sais, tu réclames les raisons de mon absence, je n'étais pas à notre rendez-vous, ce n'est pas mon habitude de ne pas être à nos rendez-vous, mais je dois attendre que le jour se lève enfin, et surtout que la raison de mon absence cesse de me mettre dans l'état où je suis, dans le plus profond désarroi, pour tenter de te l'expliquer. Madame Odette a dû te dire que j'avais appelé en fin d'après-midi, et peut-être a-t-elle trouvé quelque chose d'étrange dans ma voix. Tu n'étais pas encore arrivé.

Il y avait longtemps que je n'avais pas passé une nuit blanche, et jamais une comme celle-là. J'ai besoin de retrouver mes esprits pour, sinon te la raconter, du moins en évoquer l'origine. J'espère que tu seras capable de comprendre.

Je n'ai pas allumé les lampes de l'appartement, je suis dans une pénombre qui m'apaise, assise dans le fauteuil près de la fenêtre du salon. Au troisième étage de l'immeuble d'en face, quelqu'un ne dort pas non plus, une lumière filtre à travers les persiennes. Pas une voiture ne trouble le silence, la rue s'est figée après le passage d'un couple en guerre dont les invectives fusaient et se répondaient jusqu'à ce que la femme décide de s'éloigner en courant et se retourne pour insulter l'homme que j'ai vu s'adosser au mur, sortir un paquet de cigarettes et fumer un long moment, immobile. Il portait des bottes et un chapeau. Il a écrasé son mégot avec le pied tout en restant appuyé contre le mur, comme si la dispute l'avait épuisé. Puis il est parti d'un pas lent, les mains dans les poches. Sa présence m'empêchait de dériver. Il me manque maintenant.

L'orage gronde depuis des heures et jette des feux au-dessus de la pâle lumière des réverbères qui vont bientôt s'éteindre. J'attends le jour. J'ai ouvert la fenêtre, une vague rumeur me parvient, celle du boulevard sans doute. Il me semble émerger d'un cauchemar que j'ai tenté de fuir pendant les heures où je ne parvenais pas à rester chez moi, ni à te prévenir de mon absence. Plus tard, j'aurai la force de t'en dire davantage, mais tu dors encore et tu es loin de moi, heureusement, sinon tu me presserais de m'expliquer et cela me serait impossible. J'avais besoin de cette nuit longue, de mes déambulations dans Paris sous la pluie, du silence de ce petit matin qui s'annonce.

Je te sais nu, enroulé dans les draps, un bras refermé sur la poitrine, le visage détendu, juste un léger frémissement des paupières, de temps en temps un soupir, un geste amorcé qui renonce. Parfois dans ton sommeil tu sembles n'être pas tout à fait le même, cela me plaît infiniment et me remplit de désir. Au pied du lit, il y a sûrement le grand sac noir où sont réunis tous tes appareils. Ils te suivent partout. Tu reviens d'un pays que je connais et dont je garde des images qui sans doute ne correspondent pas à celles que tu ramènes. Trop de temps est passé. C'était encore l'époque où les apparatchiks russes venaient se pavaner sur les plages, peau blafarde et maillots ridicules, s'exposant debout au soleil, ne sachant que faire de leurs corps. Les jeunes Cubains gloussaient dans leurs dos et ondulaient avec grâce en courant se jeter à l'eau.

Je laisse venir des souvenirs de ce voyage, une façon de m'évader de l'enfermement dans lequel je suis depuis quelques heures. Je marche sur le Malecón à la Havane, j'entre dans *La Bodeguita del medio* où l'ombre d'Hemingway continue de rôder, je passe sous les porches des vieilles bâtisses décaties mais somptueuses, je me souviens de la campagne, des routes poussiéreuses où je croisais des paysans à cheval, chapeau de paille flanqué sur le crâne, silhouettes d'une élégance et d'un flegme superbes sous le vol sombre des lourds oiseaux qui sillonnaient le ciel. Je me souviens de Trinidad, de Cienfuegos où se préparait la fête de la jeunesse. Tous repeignaient les façades, accrochaient des slogans, des lampions, dans une effervescence un peu artificielle, et sous la surveillance de responsables politiques.

Je revois la chaude Caraïbe et les crabes géants qui remontaient dans les terres à la tombée de la nuit, l'orchestre Aragon et le vieux Noir qui dansait seul sur la terrasse de l'hôtel Sevilla…

Je n'arrive plus à t'imaginer dans la chambre sans les rideaux fanés, sans la lampe en forme de coquillage et le papier peint sur lequel couraient quelques biches aux abois. Comme tu es loin !

Il pleut, obstinément.

Je n'arrive pas non plus à écouter le message que tu as laissé sur le répondeur, il viendrait perturber mes efforts pour retrouver un peu de calme et de sérénité, et puis je crois que ton inquiétude, ou ton impatience, me sont indifférentes. J'ignore pourquoi exactement.

En face, la lumière qui filtrait à travers les persiennes vient de s'éteindre.

Lorsque je t'ai proposé, il y a quelques jours, de retourner à l'hôtel des Embruns, tu as semblé surpris et peu enthousiaste, comme si cet endroit faisait désormais partie de notre passé. Ton regard sur les lieux qui n'ont aucun lien avec ta vie n'est pas le même que celui que tu portes sur ceux qui sont liés à ton intimité. Tu n'as pris aucune photographie de cet hôtel ni de la chambre, pas même de la plage si belle, blonde et douce, se faufilant entre rochers et falaises, s'étirant à marée basse, poussant ainsi l'horizon. Une seule fois, tu as fait un cliché de moi, ébouriffée dans le vent, le visage crispé par une discussion un peu vive. J'affirmais alors qu'il te manquerait toujours de ne pas avoir vu la maison des étés de mon enfance avant qu'elle ne soit vendue, que tu ne pouvais prétendre me connaître sans avoir fait le chemin jusqu'à elle, et donc jusqu'à moi. Tu ne répondais pas, tu te contentais de sourire.

J'ai essayé quelquefois de combler ce manque

en te la décrivant, tu paraissais m'écouter, mais tu te moquais de ma façon d'évoquer ces vieux murs comme s'il s'agissait d'un être vivant perdu au bout d'un chemin de terre bordé de chênes et de haies. C'était une ancienne ferme, achetée juste avant la dernière guerre, que mes grands-parents avaient gardée en l'état. Pendant des années, le foin était resté dans la grange, le vieil évier de pierre dans la cuisine au sol de terre battue, et, dans la mangeoire de l'étable qui sentait encore la vache, s'accumulaient les outils de jardinage. Lorsque je feuilletais quelques-unes des revues qui s'entassaient sur une maie, les photographies en noir et blanc me parlaient d'un monde lointain, chaotique parfois, qui venait s'échouer dans la cour assommée de soleil, ou sur les berges de l'étang où je suivais pendant des heures le vol gracieux des libellules.

Comment te transmettre ces minuscules détails, ces instants lumineux où, dans l'ombre fragile d'un homme vieillissant et solitaire, j'arpentais la campagne paisible avec déjà la conscience aiguë d'un temps en fuite, d'une disparition possible de ce corps que je devinais maigre et fatigué, aux gestes mesurés, à la démarche lente et régulière, dont j'avais sans doute hérité, mais de quoi ? De la solitude ? De son amour du silence et de la contemplation ?

Les prés humides de rosée resteront à jamais dans ma mémoire le lieu fondamental et neutre à la fois, un espace libre, où nous étions comme deux aventuriers, lui et moi, deux êtres à peine éveillés cherchant leur route vers un point imaginaire, chacun le sien. Sans doute connaissait-il celui qui guidait sa vie depuis longtemps, mais avec moi il avait cette délicate intelligence de l'oublier et de faire mine de chercher lui aussi.

En avançant dans son sillage, il me semblait m'approcher peu à peu de ce que j'appréhendais comme un danger, l'âge adulte, une épreuve à différer le plus longtemps possible. La crainte de m'y perdre me mettait les larmes aux yeux. Je regardais la silhouette un peu courbée m'ouvrir le chemin vers un monde réel que je pressentais au-dessus de mes moyens. J'étais encore trop jeune. J'ai toujours eu la certitude qu'en m'entraînant dans ces randonnées matinales, mon grand-père tentait de me donner l'élan nécessaire pour l'affronter plus tard. Lorsqu'il est mort, longtemps après ces balades initiatiques, j'ai posé un baiser ému sur son front glacé dans le sous-sol d'un hôpital. J'avais atteint l'âge adulte depuis déjà bien des années, mais j'étais la petite-fille aimante de cet homme qui m'avait tant appris en le regardant vivre. Je me demande si ce n'est pas cet amour qui m'a permis tous les autres. Pourquoi est-ce si difficile de te dire cela très simplement ? Est-ce que je t'aime assez ? Est-ce que l'amour suffit ?

Tu évoques peu cette période de ta vie qui

ne semble avoir commencé que le jour où ton oncle t'a offert ce premier appareil photo et où soudain tu ouvrais les yeux sur le monde qui t'entourait. Tu m'as montré un jour un portrait de toi, perché sur un muret et brandissant l'appareil comme un trophée, avec cet air de vainqueur que tu as souvent lorsque tu viens de saisir l'insaisissable. Tu avais à peine dix ans. Parmi tous les clichés que tu as pris à cette époque, la plupart du temps maladroits, tu étais si jeune et sans doute dans une sorte de frénésie, il y a cet homme allongé sur le banc d'un quai de métro qui te sourit. Tu t'en souviens comme d'un moment essentiel, le sourire de cet homme t'avait bouleversé, pas tant à l'instant même de la prise que lorsque ton oncle t'avait montré l'image qu'il en avait tirée. D'une certaine façon et sans le savoir, tu venais de faire le premier pas vers ton métier. Je pense à cette photographie parce qu'elle fait un étrange lien, précisément à cause de ce sourire, avec ce qui m'a retenue ici au lieu de te rejoindre. Je veille à tâtons dans cette nuit de grand désordre et l'évocation de l'homme allongé sur le banc du métro ne m'aide pas, mais ce n'est pas un hasard si elle m'envahit. Je prends conscience du fait que la photographie a tissé entre nous, bien avant que nous nous connaissions, quelque chose de fort qui souvent remplace les mots. Dans le silence de la campagne je découvrais les secousses du monde à travers des reportages photographiques, tandis que toi tu approchais de ce qui serait toute ta vie.

Des éclairs lointains déchirent le ciel, j'aime l'orage et sa grande colère.

Je ne sais plus à quel moment de mes allées et venues je me suis retrouvée près du canal Saint-Martin, le long duquel des groupes de jeunes gens dînaient, assis en rond sur la pierre. Tout en me frayant un passage entre leurs installations, je me demandais si tu aurais eu la même réaction que moi sur ce quai de métro qu'avait choisi le vieil homme pour quitter la vie. Je ne parvenais pas à m'en faire une idée précise et je n'étais pas sûre d'évoquer cette scène pour expliquer mon absence à la gare, elle m'obsédait trop, elle me mettait dans un état de choc qu'il m'était impossible de transmettre. Je n'avais pas non plus envie d'inventer je ne sais quoi. Je ne trouvais aucune solution, mais j'avais peu à peu l'étrange certitude, sans doute à cause du sourire énigmatique de cet inconnu, que les violentes secondes auxquelles il m'avait soumise créaient entre lui et moi quelque chose d'intime, cela tu pourrais le comprendre. C'était à moi et à personne d'autre qu'il avait souri, vers moi qu'il s'était avancé avant de sauter.

J'ai eu envie de retourner à la station de métro, j'ai de nouveau erré dans les rues, évitant les passants qui me lançaient des regards hostiles lorsque je me trouvais sur leur trajectoire. Je me persuadais du lien que l'homme avait créé entre nous en me souriant avant de se jeter sous la rame, j'étais incapable de penser à autre chose. Il avait surgi, anonyme et fugace, et sans doute ne sortirait-il jamais de ma mémoire. Tout à l'heure, j'ai écrit la date, l'heure et le nom de la station sur mon cahier. J'ai ajouté que j'aimerais connaître celui de l'homme qui est entré dans ma vie en perdant la sienne.

Je ne suis pas allée jusqu'à la station de métro, j'ai marché encore longtemps, me suis assise à une terrasse, et j'ai tenté en vain de me souvenir de son visage. Il portait des lunettes, me semblait-il, mais je n'en n'étais pas certaine, tout comme je n'avais aucune image précise de ses cheveux. Blancs ? Était-il chauve ? Seuls l'imperméable et la canne, qui s'était fracassée contre la paroi de la voiture et dont les morceaux avaient rebondi sur le quai, me poursuivaient avec une insupportable précision. Je pensais au cliché d'un photographe célèbre sur lequel on voit un gamin sauter dans un terrain vague de la banlieue parisienne des années cinquante, brandissant une arme fictive dans un jeu de guerre qui l'a soudainement mobilisé, je pensais à Umberto D., le bouleversant personnage de Vittorio De Sica, j'ai aussi pensé à l'homme allongé sur le banc du métro. Puis j'ai marché, une déambulation hasardeuse qui m'éloignait de l'angoisse ou m'en donnait seulement l'impression.

En passant devant une librairie, j'ai aperçu le roman que je venais de lire quelques jours plus tôt, d'un auteur grand voyageur dont l'élégante écriture et l'humour distingué m'enchantent toujours. Tout se passait à Los Angeles, où je ne suis jamais allée. Je me suis efforcée de retrouver quelques-uns des lieux cités, dont certains pouvaient paraître anodins comme l'arrêt du bus 704 menant à Santa Monica & Vermont ou du 750 allant vers Warner Center jusqu'à l'arrêt Topanga, mais ils me déployaient tout un champ de possibles auquel je m'abandonnais. Je me souvenais aussi de Mulholland Drive, de Sunset Boulevard, d'Holloway et de Malibu. Outre quelques souvenirs cinématographiques que ces noms faisaient surgir, ils m'éloignaient momentanément de ce qui m'avait jetée hors de mon ordinaire et propulsée dans une course dont je n'entrevoyais pas l'issue.

L'heure prévue de mon arrivée approchait. Tu étais sur le chemin de la gare. Tu attendrais. Tu as horreur de l'attente. Nous avons plusieurs fois abordé ce sujet à propos de mes fréquents retards. J'ai souvent et en vain tenté de te vanter ces instants suspendus, incertains, provoquant parfois de délicieuses émotions. L'épreuve à laquelle je t'ai soumis hier soir, presque involontairement, nous sera salutaire ou fatale, je ne sais.

Le mois de septembre s'est souvent immiscé dans nos vies. C'est en septembre que nous nous sommes rencontrés la première fois, en septembre que nous avons tenté de poursuivre cette histoire après une longue rupture. Aujourd'hui, la fin de l'été va peut-être de nouveau tout chambouler.

Au tout début, nous faisions semblant de ne rien installer, ni temps ni espace, comme François Combe et Kay lorsqu'ils se rencontrent dans *Trois chambres à Manhattan*, mais nous espérions chaque jour, sans le dire, un éventuel lendemain. Le jeu était grisant, nous ne prenions aucun rendez-vous, nous nous en remettions à un hasard truqué qui consistait à se chercher dans les différents lieux que nous fréquentions. Cela dura plusieurs mois, jusqu'à ce que nous ne sachions plus quoi inventer pour différer les échéances.

Nous avions alors loué un appartement, mais n'avions su l'habiter de façon harmonieuse. Nous en avions changé avec la conviction qu'on ne s'aime pas de la même façon dans un endroit ou dans un autre, un temps ou un autre, et d'ailleurs, nous avions pu vivre un mois ou deux sans heurts ni contraintes.

Un matin, tu m'as annoncé que tu retournais « chez toi » avec cette violence que tu appelles sincérité. Tu n'as pas tort, les mots ne sont pas toujours à la hauteur.

Des années ont passé, jusqu'à cette exposition où tu évoquais avec éloquence les ciels de Turner.

Je suis tout de même retournée dans le quartier de la station de métro, je ne sais plus à quel moment de la nuit. J'ai cherché le commissariat le plus proche. Je voulais un nom pour cet homme à peine croisé, quelque chose de lui, de sa vie.

Une jeune femme était en faction à l'entrée, engoncée dans son uniforme, l'air absent. J'ai évoqué la scène à laquelle j'avais assisté, tout en lisant dans son regard une indifférence hostile que prolongeait son silence. J'ai insisté, juste le nom, quelque chose. Elle m'a demandé avec arrogance si je faisais partie de la famille, je n'ai pas répondu, alors elle n'avait rien à me dire.

La station était à quelques rues. Le trafic semblait avoir repris son cours normal. Je suis descendue jusqu'aux guichets et j'ai interrogé la femme assise derrière la paroi vitrée, en précisant que j'étais sur le quai au moment où l'homme s'était jeté sur les rails, qu'il m'avait souri avant de sauter. Elle m'avait vue sortir en courant, comprenait mon émotion, et pour me rassurer ajouta qu'il était mort sur le coup. Elle le croisait régulièrement dans la station, le connaissait un peu. Il lui avait raconté qu'il avait lui-même conduit des motrices pendant longtemps, qu'il se sentait un peu chez lui dans ces boyaux obscurs. Parfois il y restait des heures, prenait des correspondances, il savait par cœur la litanie des stations de tout le réseau. C'était précisément dans celle-ci qu'il avait rencontré sa femme à la fin de la guerre, elle était morte il y avait quelques mois.

Ces deux ou trois détails me suffisaient. Je suis allée sur le quai, je suis montée dans une rame, me suis assise, j'ai fermé les yeux et attendu d'arriver au bout de la ligne pour les rouvrir. Autour de moi s'entassaient les corps encombrants, lourds de fatigue, dont les soupirs et les gestes brusques provoquaient parfois insultes et menaces. Je percevais quelques mots échangés, une voix inquiète, des rires, les pleurs d'un enfant sans doute effrayé par son enfouissement dans ce grand désordre. Je tressautais au claquement des portes, le bruit strident de la ferraille me semblait plus envahissant les yeux fermés, plus dangereux. Dans cet espace frontière entre le jour et la nuit, la lumière et l'obscur, tout devenait à la fois réel et aléatoire. J'inventais des visages, les langues étrangères s'orchestraient, se chevauchaient en un curieux Babel. Au milieu de cette turbulence, le corps du vieil homme s'envolait en silence, dans son élan presque enfantin.

J'étais montée dans la dernière voiture, celle où étaient consignés les voyageurs porteurs de l'étoile jaune pendant la dernière guerre. Il était alors jeune homme et ne pouvait avoir oublié cette ignominie. Je me mis à l'imaginer face à d'autres crimes. Était-il déjà conducteur de motrice le 17 octobre 1961 et quelques mois plus tard à la station Charonne ? Avait-il lui-même été témoin d'un suicide alors qu'il était aux commandes ? S'en souvenait-il lorsqu'il avait sauté à son tour ?

Ce monde souterrain, les drames qui s'y déroulent, les violences qui s'y commettent me semblaient être la nuit de nos angoisses, où tentent de dormir et de survivre ceux qui n'ont plus de place en haut. La vie ordinaire ne les reconnaît plus, se moque de leur absence. Une histoire sous terre en écho à celle qui se déroule au grand jour.

Je me suis souvenu d'un graffiti aperçu sur un mur, *Devant l'indifférence générale, demain est annulé.*

Tout en me laissant ballotter par le bruyant bolide dont les grincements et les hurlements me rappelaient le Grand Huit, manège du vertige et des étreintes amoureuses de ma jeunesse, je ne parvenais pas à mettre à distance l'émotion qui me submergeait dès que le sourire de l'ancien conducteur de motrice m'apparaissait. Je pensais à lui, je penserais à lui longtemps, je ne pourrais jamais l'oublier et son anonymat lui donnait encore davantage d'importance, il devenait tous les suicidés du métro, tous ces désespérés qui soudain provoquent retards et débordements, que l'annonce d'un grave accident de voyageur ne parvient pas à excuser, trop fréquent, trop banal. J'avais jusque-là redouté d'en être témoin un jour ou l'autre. Ces morts mettent les nerfs à vif d'une foule déjà malmenée, puis tout rentre dans l'ordre, tout continue. Ils ont à peine bousculé l'ordinaire.

J'ai regretté de ne pas avoir marché dans le quartier autour de la station avant de monter dans cette voiture du métro, peut-être avais-je croisé de nombreuses fois le vieil homme et sa femme, pendant des années. Il y a toujours quelque chose de troublant dans l'idée que le hasard nous présente des visages qui ne nous disent rien sur le moment, que nous ne voyons même pas, mais qui un jour ou l'autre peuvent nous rattraper. Nous avions forcément eu des trajectoires semblables, fréquenté certains cafés, pris les mêmes bus, traversé chaque jour la même place… M'avait-il reconnue ?

Je me suis assoupie quelques instants, j'étais sur un quai désert, je portais la robe verte, le petit homme était en face et me souriait. Derrière lui, il y avait l'affiche avec le jeune athlète.

Pour la première fois, j'ai éprouvé une sensation d'étrangeté en entrant à nouveau chez moi. Pas de gestes habituels, poser mes clés et mon sac sur la console, quitter mes chaussures et les abandonner au milieu du couloir. Je marchais dans l'appartement comme si je le visitais, passant d'une pièce à l'autre sans trouver ma place. Égarement passager, mais qui soudain m'enlevait tout repère. J'aurais dû prendre une chambre d'hôtel comme je l'avais envisagé un moment. J'ai failli décrocher le téléphone et t'appeler à l'aide. J'ai pensé à une amie, mais je craignais de la déranger et surtout je me sentais incapable de parler, de raconter, je devais affronter seule cette nuit longue et chaotique, je ne pouvais en aucun cas démissionner de cette épreuve. Je me suis demandé si je ne donnais pas trop d'importance à ma légitime émotion qui ne faiblissait pas, si je ne lui laissais pas trop de place, toute la place et pourquoi ? Je savais confusément qu'il s'agissait aussi de nous, j'en étais effrayée.

Je suis entrée dans la cuisine pour me faire un café. Quelque chose me dérangeait soudain, quelque chose qui ressemblait à ma vie rituelle et monotone que les murs me renvoyaient. Assise à la table, je suis restée longtemps à épier le silence, puis j'ai mis la radio sur les ondes qui diffusent du jazz jour et nuit. Une envie de me venger de l'immobilité de tout autour de moi m'a fait lever d'un bond. J'ai ouvert tous les placards. Toute cette vaisselle, tous ces échafaudages d'objets inutilisés, accumulés au fil du temps, me ressemblaient peut-être. J'ai retenu un geste pour les balayer d'un revers de main, entendre le fracas qui s'en serait suivi, abandonner un champ de ruines et partir.

J'ai seulement sorti le vase ébréché des étés lointains à la campagne dont j'avais hérité, et je l'ai mis au centre de la table comme il l'était là-bas, en un temps paisible, en apparence du moins. Des brassées de fleurs sauvages y resplendissaient toujours. J'avais six ans, j'en avais dix et davantage, j'étais alors blottie dans la petite éternité de ces jours légers, de ces heures longues et douces. Le bourdonnement des guêpes dans la vigne vierge s'est alors mélangé aux accords du lointain Duke Ellington, dans la cuisine où des images s'affichaient peu à peu sur les murs : la cour, les tilleuls, l'herbe folle, le soleil et la joyeuse assemblée assise à l'ombre, la nappe à carreaux, les victuailles éparpillées, le chien Bob près de moi, le visage aigu de

Georges, le paysan voisin, le ciel immense, profond, un horizon vaste, imaginaire, lumineux. Je suis restée ainsi pendant quelques minutes, puis j'ai remis le vase dans le placard.

À la radio, Count Basie succédait à Duke. J'ai monté le son, j'ai revu le Carnegie Hall, la lourde silhouette sur un fauteuil roulant qui sortait des coulisses, la foule qui hurlait et se levait pour l'applaudir, les musiciens qui lui faisaient une haie d'honneur. Nous étions silencieux, émus tout au fond d'une salle bondée et survoltée. En bas de la scène, des couples s'étaient précipités dès les premières notes. Les corps en mouvement s'envolaient, se croisaient, s'épousaient, certains interpellaient Count qui répondait par un éclat de rire, que son micro lançait contre les murs. Ils étaient ensemble, tellement ensemble, foule noire, élégante et digne. À côté de nous, une vieille femme nous racontait qu'elle connaissait Count Basie depuis qu'elle était jeune fille, qu'ils avaient le même âge, qu'ils étaient vieux et que peut-être ils partiraient ensemble…

L'évocation du Carnegie Hall a entraîné celle de la semaine à New York, une semaine échevelée et des heures de marche au hasard, dans le jeu de miroir des buildings, les salles sombres où régnaient la musique et la fumée de cigarette, les hauteurs vertigineuses d'où la ville ressemblait à un puzzle. Les Twin Towers étaient encore là et le seraient pendant longtemps. Le quartier de Harlem encore délabré de la fin des années soixante-dix, et cette immédiate impression, à l'arrivée, d'une ville déjà vue, presque familière, une ville de cinéma et de romans dont la soudaine réalité était presque décevante. Je me souviens d'un voyage empreint de mélancolie, d'ailleurs nous étions partis un peu désenchantés. Nous commencions à ressentir le début d'essoufflement des élans collectifs, sauf sur le Larzac, où les paysans continuaient de se mobiliser et d'affronter l'armée avec une insolence et une détermination sans faille. Nous étions allés nombreux, et à plusieurs reprises, soutenir leur lutte, comme nous l'avions fait pour les Lip, dans une joyeuse effervescence.

J'ai ouvert le tiroir où se mêlent en grand désordre des images de cette époque. Tu m'incluais parfois dans tes clichés, où je ne ressemble en rien à ce que je suis aujourd'hui et qui témoignent d'un monde lointain dont nous nous sommes échappés ou qui nous a quittés. Sur le plateau du Larzac, dans ce paysage d'une si sauvage beauté, perchée sur un rocher en bas duquel une marée humaine s'étale au soleil, je te souris, c'est un sourire ambigu, plein de cette appréhension que j'ai toujours eue dans les moments heureux. J'ai refermé le tiroir, je n'étais pas en mesure de poursuivre cette échappée.

Tu ignores les photographies de toi que j'ai prises à ton insu, depuis le début, où ta silhouette s'inscrit dans différents paysages, souvent de dos, comme si tu n'en finissais pas de partir, mais aussi dans ton sommeil, où ton visage détendu semble retenir quelque chose de l'enfance, ou encore en conversation avec d'autres. Ton sourire, alors, n'est pas tout à fait le même que lorsqu'il s'adresse à moi, beaucoup plus offert, plus généreux, mais comment ne pas penser que je m'abîme parfois dans une sombre jalousie ?

Peut-être ne te les montrerai-je jamais, elles se faufilent entre les mots manquants, elles sont mon intime regard sur toi, sur nous car, sans être présente sur ces clichés, je m'y vois parfaitement, je me souviens des moments qu'ils évoquent et j'essaie parfois de les relier à ce que nous sommes devenus. Je me sais à l'affût de cet éloignement insidieux que je crois deviner sans preuves, juste de minuscules indices. Je n'oublie pas que nous sommes ballottés dans un monde différent de celui de notre rencontre, mais pourquoi n'avons-nous pas su résister ?

Je ne te montrerai jamais ces images parce que la photographie est ton domaine, que je ne peux pénétrer, même dans ton ombre.

Je me souviens de la première fois, nous étions sur une plage du Nord, de celles que nous aimons tant, Bray-Dunes peut-être. Tu marches vers l'eau avec un léger déhanchement. J'ai pris ce cliché sans l'avoir prémédité, puis d'autres, dont un où tu t'élances dans le rouleau d'une vague, les bras ouverts comme les ailes d'un cormoran. J'entamais ainsi une sorte de feuilleton que les tiens compléteraient, l'un sans l'autre.

Au sommet d'une colline, dans l'arrière-pays niçois et sous un soleil de plomb, perdus dans la lumière blanche de l'été et dans cette douce fatigue de l'amour, tu dévalais la pente en criant comme un gamin. J'avais pu te saisir dans cet élan avant de te rejoindre. Assis pour reprendre notre souffle, nous nous projetions au-delà de la limite que dessinait l'horizon un peu voilé par la brume de chaleur, un horizon sans fin.

J'ai appelé un taxi, je n'arrivais pas à rester longtemps chez moi, je devais sortir une dernière fois, je craignais de céder au sommeil, d'abandonner le petit homme à sa nuit éternelle.

J'ai demandé au chauffeur de me conduire près de la Seine, il m'a répliqué que ce n'était pas une destination précise. J'ai dit le pont des Arts sans réfléchir, mais ensuite je me suis souvenue de cette invitation à une soirée que j'avais déclinée à cause de notre rendez-vous à l'hôtel des Embruns. Ce serait très certainement une soirée sans intérêt mais divertissante, comme d'habitude. Il y aurait des jeunes gens à la mode, quelques nantis désabusés, des femmes discrètement disponibles, deux ou trois anciennes figures politiques et un buffet irréprochable.

Le chauffeur de taxi m'a laissée devant le pont du côté du Louvre. Quelques ombres se profilaient sur un fond de ciel où s'amoncelaient de plus en plus de nuages, entre lesquels la lune montrait son masque blanc et jetait une étrange lumière sur les dizaines de cadenas accrochés aux rambardes, curieux talismans abandonnés aux intempéries par quelques romantiques qui pensaient laisser ainsi les traces durables de leur passage. L'orage n'avait pas encore éclaté.

J'ai frôlé des couples enlacés, salué les groupes de noctambules qui, assis en rond, s'échangeaient quelques bouteilles et s'invectivaient joyeusement. On m'a invitée, je n'étais pas de cette humeur. Sous mes pas la Seine luisait et se ridait au travers des planches disjointes, donnant une impression fugitive de tangage.

Les dîners mondains des Berthier sont pittoresques. Irène sait mettre en scène ce petit monde avec beaucoup de talent, et l'espoir pervers de dérisoires conflits qui ne manquent pas de surgir, la plupart du temps. Elle m'en fait ensuite un récit haut en couleur si je n'ai pu y assister, et se promet d'en tirer un jour quelques nouvelles édifiantes. Je sais, tu n'apprécies pas l'humour amer d'Irène qui, elle, aime sincèrement tes photographies.

Elle m'a ouvert la porte en étouffant un fou rire et en s'esclaffant, *Toi ? Seule ?* D'un bref coup d'œil, j'ai pu constater que je ne connaissais pas grand monde, bien qu'habituée à son public ordinaire.

Henri Berthier a demandé de tes nouvelles, j'ai dit que tu vivais désormais à Nantes, il voulait savoir si nous étions séparés, *Seulement par les kilomètres*, lui ai-je répondu. Je l'ai fait rire. Je n'avais aucune envie d'évoquer mes divagations de la nuit, ce qui les avait provoquées, l'état dans lequel j'étais, mais dont Irène s'est cependant aperçue. *Je te trouve un peu bizarre.* Elle m'a présentée à quelques invités qui passaient près de nous, *Gisèle Desmaret, une amie de toujours.*

Je ne sais pourquoi j'ai pensé à ces mots d'Alain Cuny dans *Les Amants. Toujours, un mot de femme…* Cela m'a fait sourire, j'ai serré des mains.

La robe verte, ai-je pensé soudain, cela m'a fait sourire aussi.

La voix de Bashung a résonné. *Gaby, Vertige de l'amour…* J'ai suivi Irène dans la cuisine où une petite assemblée féminine débattait de plusieurs sujets à la fois. J'ai bu une coupe de champagne, fumé deux ou trois cigarettes et suis retournée dans le salon. Autour de moi s'agitaient des couples que rien ne légitimait, du moins en apparence. Les corps des femmes s'offraient en toute impudeur sous le regard absent des hommes, même les plus âgées se compromettaient dans de ridicules gesticulations. Je me suis sentie soudain envahie par une immense colère, qui m'a fait grimper sur une chaise et crier, *Ce soir, j'ai vu un homme se jeter sous le métro, il m'a souri, et il s'est élancé.*

Tout s'est figé. Quelqu'un a arrêté la musique, les regards se sont tournés vers moi avec un air de reproche comme si je venais de profaner un lieu, un instant sacrés. *Où ?* a demandé quelqu'un. *On s'en fout,* a répondu quelqu'un d'autre, *tous ces cinglés n'ont qu'à se jeter dans la Seine, ça perturberait moins le trafic.*

Une femme s'est approchée et m'a demandé à quel endroit c'était arrivé. Je n'avais pas envie d'en dire davantage, mais j'étais fière de ma fausse note dans cette ambiance guindée et frivole à la fois.

Irène est venue à mon secours et m'a entraînée dans sa chambre.

Qu'est-ce que c'est que cette histoire ?

Il m'a souri et il a sauté.

J'ai fondu en larmes.

Je regrettais d'avoir rompu le silence que je m'étais promis de garder. J'étais dans les bras d'Irène, je respirais son éternel parfum, elle chuchotait dans mon cou, et m'a demandé où tu étais.

Il y a quelque chose de pathétique chez Irène, qui me bouleverse, et puis la cicatrice sur sa joue qui rappelle le jour où elle s'est retrouvée entre les mains d'un policier. La manifestation avait dégénéré et dans la dispersion elle s'était égarée, poursuivie par l'homme qui l'insultait en la rattrapant. Avec le temps la balafre s'est estompée, mais dans le regard d'Irène persiste la douce mélancolie d'une résistance inutile. Je n'ai jamais compris pourquoi elle avait épousé Henri Berthier, en revanche je crois deviner ce qui a séduit cet homme triste et contradictoire, un peu marginal dans son milieu.

J'ai dit que tu étais à Nantes.

Pourquoi Nantes ? a-t-elle demandé. Je me suis alors aperçue que je ne savais pas répondre à cette question. Nous n'en avions jamais parlé, tu avais dit, *Nantes,* un jour où tu prétendais que cette ville t'inspirait, tu inventais même quelque chose d'intime entre elle et toi et je n'osais pas poser de question, je sentais que tout pouvait de nouveau basculer et que la distance entre Paris et Nantes valait mieux qu'une révélation douloureuse. Irène a bien sûr émis l'hypothèse d'une autre femme, j'ai dit, *Peut-être,* et je n'ai plus entendu ce qu'elle essayait de m'expliquer, elle que les aventures d'Henri ont peu à peu guérie du véritable chagrin.

J'ai revu la gare de Nantes, tu m'attendais dans le hall. Tu vivais depuis peu dans cette ville et c'était ma première visite. Tu semblais soucieux, emprunté, et ton baiser avait à peine atteint ma joue. Nous avions pris le tramway, tu me proposais de traverser le passage Pommeraye et de marcher un peu jusqu'à ton appartement. Nous avions grimpé les marches et je pensais à Lola, à la beauté d'Anouk Aimée disant de sa voix cristalline, *C'est beau la vie,* à Roland, son ami d'enfance, dans le film de Jacques Demy. C'était doux de penser à cette époque, une époque de possibles et de désirs. En te suivant, je me demandais quelle place j'avais dans ta nouvelle vie, mais je me le demandais aussi concernant le monde dans lequel nous vivons.

Tu n'avais pas encore vidé les cartons. Tout donnait l'impression du provisoire et je doutais de ton envie de t'installer dans ce minuscule espace contenant à peine un lit et une table. Je ne trouvais aucune trace de mon existence, seulement quelques photos de tes derniers reportages éparpillées sur la table. Nous avions bu un café, tu m'avais parlé d'un projet qui impliquerait une longue absence, proposé d'aller jusqu'en Brière, je ne savais plus qui nous étions. Je ne suis pas retournée à Nantes depuis, tu ne m'y as pas invitée et je n'ose pas te le proposer. C'est toi qui viens à Paris et j'ai eu envie de ce retour aux Embruns parce qu'il me semblait que, là-bas, j'aurais quelques repères concernant ce qui reste de nous.

J'ai dit, *Je ne crois pas*, à Irène qui persistait dans son hypothèse d'une autre femme. Nous sommes sorties pour aller marcher un peu. Nous avons longé les quais jusqu'à l'embarcadère des bateaux-mouches et nous avons décidé d'en faire un tour. C'était le dernier voyage, il n'y avait que quatre ou cinq passagers. Nous ne parlions pas, de temps en temps nous nous regardions, complices depuis si longtemps.

Irène m'a annoncé qu'elle entrerait à l'hôpital dans quelques jours, qu'elle n'arrivait pas à le dire à Henri. Il y avait dans sa voix quelque chose de tranquille, comme si l'âge avait vaincu la peur de mourir, comme si tout le temps d'avant avait déjà combattu cette fragilité et que rien ne pouvait lui faire perdre la force acquise au fil de sa vie. J'ai seulement pris sa main et murmuré, *Je suis là.*

Tu ne dors peut-être pas, tu as peut-être laissé libre ma place dans le lit, comme les veuves de Noirmoutier dont le souvenir de leur marin disparu flotte dans la moitié du lit qu'elle n'occupent jamais, paraît-il, comme si le retour impossible des hommes pouvait ainsi se transformer en résistance éternelle à l'absence. Cette nuit, je suis ton marin perdu.

Lorsque nous sommes revenues à l'embarcadère, Irène voulait me ramener chez elle, mais je n'avais aucune envie de retrouver cette assemblée futile dont les gesticulations et les propos m'insupportaient. J'ai embrassé Irène en la serrant contre moi, *Je suis là.*

J'ai marché le long des quais, la nuit m'apaisait même si quelques grondements lointains annonçaient un orage qui n'en finissait pas de menacer. Je pensais à Irène, elle avait dit, *Je rentre à l'hôpital*, et je savais les efforts qu'elle faisait malgré tout pour ne pas s'abandonner à la détresse. Je pensais à ses jolis seins ronds lorsque nous nous baignions sur une plage de Bretagne, il y avait un siècle.

Tout en marchant sur le quai désert, il me semblait porter le vieil homme, lourd malgré son apparente légèreté. Il m'envahissait tout entière. Une douleur me traversait, étrange et intime à la fois. Sans cesse des chemins singuliers se croisent dans le plus grand anonymat et soudain, le choc, la rencontre improbable dont la force, la violence, s'incrustait en moi sans doute pour longtemps. Tout mon corps était meurtri, comme si j'avais fait les gestes pour le retenir, l'attraper au vol. Les images de cet instant ne cessaient de me suivre dans ma fuite.

Je portais son enfance dans les années de l'entre-deux-guerres, je portais ses vingt ans, les printemps lumineux de ses premières amours, la rencontre avec sa femme dans l'euphorie de la paix retrouvée, à la station de métro où je ne sais si je pourrais redescendre un jour, je portais ses possibles enfants qui n'en étaient plus et auxquels j'avais l'impression d'avoir volé son dernier sourire, je portais toute une vie qui était entrée dans la mienne par effraction, dont j'ignorais si elle avait été paisible ou jalonnée de malheurs. N'y avait-il personne pour se souvenir de lui, pour que toutes ces années ne basculent pas dans la nuit ? N'y aurait-il pas une petite assemblée aléatoire et bavarde autour d'un verre, d'un repas copieux où s'échangent quelques souvenirs communs, où la présence fantomatique du défunt accompagne les efforts de chacun pour mériter encore une fois la chance d'être en vie, de savourer un sursis dont la fragile certitude donne un peu le vertige ?

Je me suis souvenue de ces moments où les corps et les visages figés dans une compassion réelle ou feinte pour soutenir le chagrin des proches du mort donnent à ces instants cérémonieux quelque chose d'artificiel, de presque faux, parfois. Mais je me suis souvenue aussi de larmes versées en chœur, de corps rapprochés, de silences émus et profonds où les vies complices ne sont plus qu'un souffle, qu'un hoquet, une dérisoire et bouleversante tentative de résistance au vide.

J'essayais d'imaginer dans quel décor il s'était levé le matin, quel vieux désespoir l'avait soudain rattrapé, quelles images insoutenables, lointaines ou non, quelles transformations du monde rendaient désormais la vie impossible. Peut-être seulement la solitude.

J'ai pensé à l'homme qui avait passé l'hiver dans une cabine téléphonique sur la petite place en bas de chez moi. Je le voyais chaque matin enfoui sous un amas de lainages. Des journaux, des paquets de biscuits éventrés, des canettes de bière grimpaient le long des parois de verre. Il avait collé deux photographies sur la porte, sur l'une une femme portait un enfant tandis qu'un plus grand s'agrippait à ses jambes, sur l'autre la même femme marchait aux côtés d'un âne, sur une route poussiéreuse enfermée dans de hautes montagnes.

Parfois je distinguais le visage de l'homme endormi, à peine sorti de ses oripeaux. Rêvait-il ? Y avait-il un jardin dans ses rêves, une rivière, une pluie d'automne, un paysage de brume ? Parfois je le voyais quitter cette bulle de survie avec la lenteur d'un fantôme et dans le regard une absence hagarde. Il avait disparu aux premiers jours de printemps et je l'avais attendu longtemps, car il était parti en laissant son maigre bagage. Je ne l'ai pas revu.

Avait-il rejoint ces ghettos de la misère le long du périphérique, sous les ponts de la Marne, dans les bois qui longent les autoroutes lorsqu'on s'éloigne de Paris, et que seuls les regards indifférents ne voient pas ?

À Saint-Michel, je suis descendue près de l'eau. Le ciel opaque semblait se répandre sur la ville, la Seine se hérissait. Je pensais au dimanche de notre rencontre, la première fois. Tu m'avais parlé de ton travail, de tes voyages, nous étions dans un café du boulevard Saint-

Germain, nous sortions d'une soirée où nous avions des amis communs. Quelques semaines auparavant, mon père était mort et je n'avais pu l'accompagner dans ses derniers instants, j'étais loin et il ne m'avait pas attendue. Je trouvais en ta compagnie un désir de bonheur qui me semblait plus juste pour penser à lui que la sombre descente dans un puits de chagrin. Je me souviens avoir eu un geste spontané, ma main sur ta joue, je ne trouvais pas les mots pour exprimer ce désir. Tu ne m'avais pas encore dit que, pour toi, les mots n'étaient jamais à la hauteur.

Nous avions marché longtemps. Tu avais pris des photographies sur tout le parcours. Il y a dans tes archives un petit reportage de notre première balade dans les rues de Paris la nuit. C'est un chemin qui s'est peut-être perdu.

Et puis, j'ai eu le désir immense et soudain d'être enlacée, de sentir contre moi la chaleur d'un corps vivant. C'était presque douloureux, c'était douloureux, et j'ai pensé à Josette et André, je ne sais pourquoi.

Te souviens-tu de Josette et André ? De ces images intimes que nous avions trouvées, entassées dans une vieille boîte en carton, et achetées aux puces de Montreuil ? Des clichés des années cinquante, en noir et blanc, d'un petit format carré et aux bords dentelés. Il y en avait plus de trente, c'était une déclinaison amoureuse où une femme nue et dodue se vautrait dans l'herbe en prenant des poses maladroites et coquines qui nous avaient fait beaucoup rire. Elle n'était pas vraiment belle, elle avait juste une frimousse radieuse sous le soleil et souriait sans doute à l'homme qui la prenait dans son objectif. Nous les avions appelés Josette et André.

Derrière elle, on devinait la ligne claire d'une

rivière où deux ou trois pédalos se suivaient. Au dos de la photo il y avait écrit, *Nogent, juillet 54.* Nous nous racontions une histoire sans la connaître, nous avions même cherché quelques événements notables de cette année 1954, Sagan et *Bonjour tristesse,* Beauvoir et *Les Mandarins,* la mort de Colette, l'abbé Pierre criant à la radio que le froid tuait, Brigitte Bardot et Martine Carol arborant un bikini, *Only You,* le tube des Platters, la sortie sur les écrans de *Touchez pas au grisbi,* et l'apparition du Carambar ! L'histoire d'André et Josette faufilée dans ce drôle de fourre-tout avait été un jeu, une façon détournée de parler d'amour, du nôtre, en un autre temps. Tu pensais faire tout un travail sur ces vies anonymes vouées à l'oubli en les immergeant dans l'actualité du moment. C'est alors que tu es reparti « chez toi » et qu'eux sont retournés dans la boîte en carton. Je me souviens t'en avoir voulu de les abandonner.

Ces moments ludiques et légers, nous les avons perdus depuis, ou nous n'avons pas eu l'énergie de les réinventer en nous retrouvant. Ce constat amplifiait mon désir d'être enlacée, tenue, il me semblait pouvoir m'effondrer d'un moment à l'autre.

Je n'étais pas très loin d'un café où, chaque soir, un groupe de vieux Argentins étirent la nuit sur leurs bandonéons et chantent des mots de douleur et de sang. J'ai marché vers ce café, j'étais terrassée par le pouvoir qu'avait le vieil homme du métro de faire surgir tout un passé, le nôtre, tout ce qui avait jalonné la longue histoire qui n'en finissait pas de nous réunir et de nous séparer, de révéler ses failles et ses sursauts, de me faire douter d'elle.

J'imaginais qu'un jour, peut-être, quelqu'un trouverait dans une boîte en carton quelques photographies de nous et inventerait une autre histoire, celle que nous ne sommes pas parvenus à vivre, ou que nous avons vécue sans en avoir vraiment conscience.

Comment mettre fin à ce désordre dans lequel je tente de garder l'équilibre ? Tout ce qui défile dans ma mémoire me prend au dépourvu, m'entraîne dans des zones que j'évite d'ordinaire.

La mort de mon père, que le souvenir de notre première rencontre avait déjà fait resurgir, m'a saisie tout à coup. Je me suis arrêtée sur le trottoir de la rue Saint-André-des-Arts. Je venais de réaliser qu'ils auraient sans doute eu le même âge, le vieil homme et lui. Mon père n'avait pas choisi de mourir, la maladie l'avait fait pour lui, malgré la bombe au cobalt, malgré les allées et venues à l'hôpital Cochin, malgré les protocoles chimiques. Un chemin de misère accepté on ne sait pourquoi, puisque la mort rôdait, c'était dans le discours laconique des médecins. Il avait à peine cinquante ans.

J'aurais pu apprendre, un jour, que, lors d'un voyage à Paris pour son traitement, il avait sauté sur les rails du métro en sortant de l'hôpital. Un geste qui lui aurait évité la tristesse de mon absence, la longue indifférence de ma mère, et cet état de prostration avant le dernier souffle dont on ne sait jamais si la conscience est là, désespérée et seule, spectatrice affligée et impuissante de son propre désastre. Il marche souvent de son pas lourd et traînant dans mes nuits, où il arrive aussi soudainement que dans celle-ci. Il n'est pas encore malade, il me regarde par-dessus son journal tandis que je bois mon bol de café comme un oiseau avant de partir au lycée. Je ne savais pas lire ce regard un peu étonné et inquiet, comme si ma présence dans sa vie était une énigme, lui révélait son incapacité à être simplement le père qui m'avait manqué, tellement manqué. Je n'avais jamais pensé jusque-là que sa vieillesse aussi me manquait, sans doute aurions-nous pu avoir quelques gestes de tendresse, quelques instants de complicité, quelques silences et aussi ces pauvres mots que l'on murmure à l'oreille des mourants.

Je suis passée devant la rue des Grands-Augustins, j'ai eu envie d'aller jusqu'à l'hôtel particulier où Balzac avait situé une de ses nouvelles, où Picasso avait peint Guernica et où dans le même grenier Barrault et sa compagnie naissante avaient « campé » sous les toits. J'avais eu l'occasion d'assister à l'ouverture des lieux rénovés, où aucune trace ne persistait de ces anecdotes bien sûr, mais les murs ont de la mémoire. Quelques jours avant, j'avais lu un article sur tes derniers travaux et l'exposition que tu faisais dans le Sud, j'avais hésité à me rendre dans la ville, que je connaissais mal, en me donnant le faux prétexte de la visiter. J'avais renoncé au dernier moment pour suivre mes amis à l'inauguration du grenier des Grands-Augustins.

Je crois que les années pendant lesquelles nous ne nous sommes pas revus ont été une longue attente, avec le sentiment de vacuité et l'impossibilité de bâtir une quelconque relation projetée dans le temps, un chagrin enfoui, muet. Je me souviens que mes rencontres étaient presque toujours une éclaircie, mais que le ciel se couvrait très vite et que l'air devenait irrespirable. Je ne supportais aucun indice d'une quelconque installation chez moi. Ceux qui dérogeaient à la règle étaient vite remis à leur place, hors de mon intimité. Les plus malins comprenaient que le meilleur moyen de mettre quelques jours en continuité entre eux et moi était de proposer un voyage, des espaces provisoires sans quotidien. Il y eut Venise, Sienne, et d'autres encore dont je ne me souviens pas ou plutôt qui n'ont pas laissé de traces.

J'ai en mémoire de beaux moments sur la lagune, sur le Dorsoduro, sur l'île de Torcello où je voulais acheter une ruine à l'abandon. L'homme avec lequel je traversais ces jours avait du talent pour le bonheur et son entrain me réchauffait. Je nous revois, le soir, on baguenaudait à l'heure des cafés bruyants où les hommes se regroupaient, les femmes aussi, pour de longs bavardages que nous écoutions comme de la musique. On buvait du vin, on avait des faims de loups qui traînent et quand le ciel tombait sur l'eau pour annoncer la nuit, nous allions dans l'auberge des Trois Sœurs déguster quelques pâtes et nous raconter tout ce qu'il y avait encore à faire et que nous n'étions pas certains d'avoir le temps d'entreprendre. Ce fut une brève histoire, belle et douce, sans illusion, ni désir de futur.

À Sienne, c'était tout autre chose, un ami de longtemps m'accompagnait avec tendresse dans cette ville dont la beauté sanguine nous emmenait dans d'interminables marches. Tu t'immisçais entre nous, je te repoussais, en vain. J'aurais préféré être seule, mais l'homme à mes côtés savait tout ce que j'étais incapable d'exprimer et cette précieuse complicité nous rapprochait. Je m'échappais parfois, le matin, pour aller boire un café sur la place du Palio où le soleil entamait sa ronde jusqu'au soir, balayant les maisons alentour de sa lumière dorée. Le retour avait été une catastrophe, comme si tous ces jours heureux avaient creusé un fossé entre lui et moi, comme si soudain je lui refusais toute légitimité dans cette traversée radieuse de la ville. Ses attentions ne faisaient que me rappeler ton absence. Nous avions mis des mois à oublier des mots maladroits et cruels que je n'avais su retenir. Aujourd'hui, lorsqu'il est question de Sienne, nous ne parlons que de la lumière sur les murs de brique d'un rouge sang, de la beauté charnelle de la Toscane, mais pas de ce petit village touristique où, sous un soleil ardent, nous étions restés silencieux longtemps, conscients de ce qu'il était impossible de partager.

Ce sont des villes que nous n'avons pas explorées ensemble, toi et moi, elles ont perdu une sorte de virginité, peut-être est-ce impossible de l'oublier.

Le jour de la rue des Grands-Augustins, j'avais croisé une femme qui parlait de toi comme si elle te connaissait depuis longtemps, et même d'une façon intime. Nous étions nombreux autour d'une table, elle regrettait ton absence, tu aurais sans doute fait quelques belles photographies, disait-elle. Je n'arrivais pas à lui demander comment elle t'avait connu. De toute évidence elle ne savait rien de nous, à moins que tout son jeu me fût destiné. Je n'avais nulle envie de déclarer une petite guerre, je t'ai abandonné à son discours comme si je renonçais définitivement à toi et, lorsque je m'étais trouvée seule dans le taxi qui me ramenait chez moi, j'avais pleuré. En me rendant la monnaie, le chauffeur m'avait souri en disant qu'il n'avait jamais fait pleurer une femme.

La rue exhalait une tiédeur lourde, compacte, comme si le soleil était entré dans la pierre, dans l'asphalte, dans la chair même de la ville. La fatigue alourdissait mon pas, j'ai failli renoncer au tango mais j'étais presque arrivée et surtout j'avais besoin d'un point d'ancrage, de me poser, de m'abandonner à ce petit monde argentin en exil, sa musique lancinante et chaloupée dont les sanglots et les longs soupirs m'apaiseraient, le tangage des corps, la volupté de leurs étreintes aussi. Nous n'y sommes jamais allés ensemble, et d'ailleurs je ne te sais pas de goût pour la danse. Dans les soirées, je t'ai souvent vu en retrait, parfois un peu navré par l'agitation à laquelle tu refusais de te mêler, ou bien, au contraire, te lançant dans d'acrobatiques facéties qui souvent faisaient le vide autour de toi, autour de nous, lorsque je me laissais entraîner dans ces envolées que nous terminions en général sous les applaudissements. Il y a de ça très longtemps maintenant.

De loin j'ai perçu quelques notes en sourdine. Des silhouettes se profilaient dans la lumière tamisée. Peu de gens attablés, deux ou trois couples seulement. Je connaissais de vue les danseurs, toujours les mêmes, plus très jeunes, mais dont la fière allure mettait de la beauté dans chacun de leurs gestes. J'aimais le tango que jouaient deux hommes d'un certain âge, les yeux fermés parfois, dans une sorte d'évasion intime, peut-être un retour clandestin vers le pays lointain et les années cruelles de leur histoire. Lorsque la musique s'arrêtait, les couples restaient en suspens jusqu'à ce que les bandonéons reprennent en douceur. Tout se déroulait dans une sorte de solennité muette, le langage était celui des corps.

Elle est arrivée, en jean et sac à dos, elle a traversé la salle en divaguant entre les danseurs, s'est dirigée vers les toilettes. Quelques minutes plus tard elle apparaissait en jupe droite et talons hauts, cheveux relevés, rouge à lèvres carmin. Elle s'est adossée au mur en regardant la rue avec impatience, puis son attitude s'est soudain transformée, elle a esquissé un léger mouvement vers l'entrée où un homme immobile attendait. Sans dire un seul mot, ils se sont fondus dans le fouillis des corps emmêlés. Je les ai suivis des yeux longtemps, ils dégageaient quelque chose de magnétique. Je me revoyais à son âge dans les bras d'un certain Paul, au mariage d'un cousin. Paul était un ami de ce cousin, j'étais encore presque une gamine, quinze ou seize ans, comme cette fille. Dans ses bras, et pour la première fois, j'avais éprouvé un désir inconnu jusque-là, un désir dont je découvrais la possible violence. Paul, qui avait sans doute cinq ou six ans de plus que moi, ne pouvait ignorer ce qu'il provoquait, il ne m'avait pas réinvitée de toute la soirée, était même parti sans me dire au revoir. J'en avais gardé une durable blessure. La jeune fille que je ne pouvais quitter des yeux me donnait l'étrange impression d'être encore celle qui dansait avec Paul, et je l'étais d'une certaine manière, dans la troublante fascination du désir qui ne me quitterait sans doute jamais. Je ne crois pas t'avoir parlé de Paul.

Le ciel s'est brusquement illuminé et l'orage s'est abattu sur Paris. Tout s'est arrêté, une sorte d'épuisement collectif a fait tanguer la salle. Certains se sont précipités sous la pluie en ouvrant les bras et en s'offrant à elle, d'autres se sont regroupés au comptoir. La jeune fille et l'homme restaient sur le pas de la porte en se tenant la main. Lorsque le bandonéon s'est de nouveau frayé un chemin dans le vacarme qui secouait la ville, un des danseurs est venu me chercher et tous les couples se sont remis en mouvement avec nous.

Il m'a dit, *C'est Borges, un poème, vous le connaissez ?*

J'ai dit oui, que je connaissais Borges, mais

pas l'espagnol. J'ai ajouté que j'aimais une phrase de lui, *Les dieux tissent des malheurs afin que les générations futures ne manquent pas de sujets pour leurs chants.* Je ne savais plus où je l'avais lue.

Il m'a dit encore, *Pour moi, ce tango, c'est comme cette pluie mais à l'intérieur de moi, vous comprenez ?*

Oui, je crois que je comprends, ce soir surtout.

À cause de l'orage ?

Non…

Je me suis alors souvenue de ce personnage d'un film hongrois qui prononçait des mots semblables dans un bar enfumé, alors qu'une pluie diluvienne noyait le paysage alentour. *Connaissez-vous la pluie intérieure ?* demandait-il à l'assemblée un peu éméchée, et personne ne répondait.

J'ai murmuré à l'oreille de l'homme, *Pour moi elle va durer,* et j'ai évoqué le vieil homme, toi et l'hôtel des Embruns.

Il m'écoutait, je lui ai parlé longtemps, sans doute comme je n'aurais pas su le faire avec toi. Avant que je ne m'en aille, il a juste prononcé ces quelques mots, *Son sourire vous a donné quelque chose qu'il faut garder.*

J'ai quitté le café et les Argentins. Le patron avait depuis longtemps tiré le rideau de fer mais la nuit se prolongeait à l'intérieur, et l'homme m'avait fait danser jusqu'à la fin. Il me vouvoyait, j'aimais beaucoup ce vouvoiement qui nous rapprochait. Il ne m'a pas proposé de me raccompagner et m'aurait déçue s'il l'avait fait.

Place du Châtelet, les grilles du métro étaient encore fermées. Un chien est arrivé, sans maître apparent. Il avait cette odeur forte qu'avait Bob lorsque nous nous laissions surprendre par la pluie des champs. Ce compagnonnage inattendu m'a dissuadée d'attendre le premier métro, nous sommes partis comme de vieux amis. C'était un chien sans race précise, poil long et roux, court sur pattes, aux oreilles asymétriques qui lui donnaient un petit air dégingandé. Il trottinait à mes côtés, et de temps en temps me lançait un regard confiant. Bob aimait les longues promenades. Comme tous les chiens, il multipliait nos distances parcourues par de constantes allées et venues, se retournant sans cesse pour vérifier que nous étions bien ensemble. Le chien roux restait dans mes jambes, sans doute tenait-il de près une compagnie qu'il avait enfin trouvée. Nous avancions sous une pluie têtue, dans la ville encore engourdie, des rues presque désertes.

Il m'a accompagnée longtemps. Nous nous arrêtions parfois sous des auvents de magasins, les premiers bus passaient en crachant de longues gerbes d'eau sale qui nous éclaboussaient, il protestait, puis nous poursuivions notre course. C'est à un carrefour que nous nous sommes séparés. Un homme tenait un caniche noir en laisse, mon compagnon s'est précipité à sa rencontre dans une sorte de frétillement joyeux que l'homme tenta en vain de repousser tout en me lançant un regard de reproche. J'ai dit que ce n'était pas mon chien et j'ai poursuivi ma route, seule et avec regret.

J'ai bu un café dans un bistrot qui venait d'ouvrir. Je devais ressembler au chien roux, même poil détrempé. L'homme au comptoir me regardait d'un drôle d'air. La radio annonçait une baisse de température et l'arrivée d'un chef d'État étranger. J'ai commandé un deuxième café, j'essayais de trouver une place pour l'homme du métro, une place dans ma vie, dans la vie en général. Dehors les éclairs déchiraient un beau ciel de plomb. J'ai eu un soudain fou rire, immense, irrépressible, j'ai couru jusqu'aux toilettes pour tenter de me calmer, mais c'était impossible. Les larmes coulaient. La pluie intérieure.

Ce fou rire incongru n'était sans doute que l'effet de ma sidération devant la béance qu'avait ouverte l'homme du métro. Tu étais sur l'autre rive, inatteignable et cependant si proche. Je tentais de trouver une passerelle entre lui et toi, entre nous trois, quelque chose d'infiniment ténu mais qui tisserait un lien que je pressentais confusément, quelque chose d'étrange provoqué par sa chute, dont l'image imprimée dans ma mémoire venait s'ajouter à celles qui nous rapprochent depuis longtemps, les tiennes. Son corps en suspens s'inscrivait soudain parmi elles, bousculant notre petit monde organisé que, déjà, ton départ à Nantes avait perturbé.

Lorsque je suis revenue dans la salle, d'autres clients étaient arrivés, et j'ai lu dans le regard du serveur qu'il désirait très fort que je paie et que je quitte les lieux. Ce que j'ai fait. J'avais encore un long chemin à parcourir, mais la marche, même sous ce déluge, me faisait du bien, je sentais la pluie se faufiler dans mon cou, ruisseler sur mon visage en m'aveuglant parfois, c'était un abandon total, quelque chose d'infiniment doux, une volupté de chagrin et de liberté que je m'autorisais enfin.

Peu à peu, la violence à laquelle j'avais tenté de résister pendant toute la nuit semblait s'atténuer. J'avais un désir immense de paix. Peut-être fallait-il que je cède à cet homme, à son geste, à sa protestation silencieuse dont j'ignorerais toujours la cause, mais à laquelle il m'avait associée avec son sourire. Je le laissais s'installer en moi, avec tout son mystère, je l'adoptais.

Je me suis arrêtée dans une cabine téléphonique. J'ai failli appeler l'hôtel des Embruns, mais il était encore trop tôt. Sur un panneau publicitaire, une affiche vantait les beautés de la Camargue. Un cheval blanc s'élançait vers ce qu'on devinait être la mer et un homme courait derrière lui. Je me suis souvenue de ce que tu avais fait dans ce paysage vague et solitaire, où tu m'avais d'ailleurs invitée à te suivre. C'était bien avant nos années séparées. Nous attendions des chevaux qu'une jeune femme élevait seule, elle désirait quelques photographies pour sa publicité. Nous avions piétiné longtemps au milieu d'un espace nu et marécageux, sous un soleil trop lourd. Et puis, soudain, un nuage blanc était enfin apparu à l'horizon. Les chevaux arrivaient au galop, les uns dans les autres. Le bruit sourd des sabots tremblait sous nos pieds, la jeune femme en montait un, c'était une chevauchée magnifique à laquelle nous assistions, que notre silence ému accompagnait.

Puis, alors même qu'ils approchaient, trois chevaux s'étaient heurtés et l'un d'eux s'était effondré. Elle semblait n'avoir rien vu, du moins le pensions-nous, mais lorsqu'elle avait mis pied à terre pour nous saluer, elle s'était précipitée vers l'animal, incapable de se relever.

Tu n'avais pas tout de suite commencé à prendre des photographies, mais, comme le cheval et sa maîtresse étaient inertes dans une sorte d'intime prostration que nous n'osions déranger, tu avais tout de même saisi ton appareil et pris plusieurs clichés. Il y avait quelque chose de bouleversant dans cette scène, tous les chevaux regroupés autour du couple restaient immobiles, comme affligés. La jeune femme pleurait en silence. Je m'étais approchée d'elle pour demander ce que nous pouvions faire, aller chercher de l'aide. Elle ne me répondait pas, elle s'était levée et nous avait demandé de partir. Ces photographies sont parmi les plus belles que tu aies faites. Je t'aime aussi pour ça et je n'ai pas les mots pour te le dire comme il faudrait, comme je voudrais, peut-être aussi comme tu aimerais que je te le dise.

J'étais adossée à la paroi vitrée de la cabine téléphonique et je cherchais d'autres instants qui me rapprochaient de toi. C'est un dimanche avec ton oncle dont le souvenir m'est revenu.

Je ne l'ai rencontré qu'une seule fois, un homme d'une grande douceur, à la voix un peu cassée, aux gestes mesurés. Il m'avait longuement parlé de son métier de photographe dans les écoles, des mariages et des communions qu'il avait mis en scène durant de longues années, des événements locaux qu'il suivait et chroniquait pour un journal de sa ville de province. Nous avions fouillé tout un dimanche les dossiers dans lesquels il avait gardé et classé les clichés pris dans les écoles, qu'il commentait avec tendresse et nostalgie. Il y avait dans l'accumulation et l'exacte répétition des mises en scène quelque chose d'étrangement oppressant, petits régiments dociles d'enfants pris dans une aventure qui ne faisait que commencer, et dont certains visages empreints de gravité semblaient appréhender ce qui échappait à d'autres. Parfois il avait pu suivre les trajectoires de quelques-uns qu'il évoquait avec émotion et puis, en redécouvrant ces clichés qu'il n'avait pas regardés depuis longtemps, il disait son bonheur d'avoir su saisir, éterniser ces enfances lointaines. *Les vies d'adultes ne sont que tentatives pour guérir le chagrin de l'enfance inachevée, toujours inachevée*, ajoutait-il avec un sourire qui ressemblait au tien. Il nous montrait certains regards où se lisait une sorte d'inquiétude qui me rappelait la mienne au même âge, *Une intelligence des choses qui rôde dans les jeux les plus innocents*, ajoutait-il encore.

D'un cliché à l'autre, on retrouvait les petites jambes aux genoux maigres, alignements sages et un peu crispés. Les rubans fleurissaient dans les cheveux des petites filles, séparées des garçons pendant longtemps. On pouvait lire sur les visages l'instant solennel d'avant le *clic*, mais aussi deviner les mains tachées d'encre violette et dissimulées derrière les dos, une sagesse feinte, des rêveries clandestines. Parmi eux se trouvaient sans doute quelques cancres géniaux, quelques poètes précoces. C'était encore un temps où l'enfance était livrée à son seul imaginaire, au bel ennui, où les tabliers tentaient de gommer les différences sociales dans une école qui s'enorgueillissait d'être laïque et républicaine.

L'un d'entre eux, silhouette menue et visage fripon à la Jackie Coogan, semblait avoir une place particulière dans les souvenirs de ton oncle. Il n'avait jamais su ce qu'il était devenu, sa famille avait quitté la région peu de temps après le jour de la photographie. Il se rappelait encore son prénom, Baptiste. Et puis toi, que je n'avais su reconnaître au milieu de gamins astiqués pour la circonstance.

Parmi les enfants de son début de carrière, certains avaient peut-être chanté *Maréchal, nous voilà !* sans comprendre le sens de ces mots, d'autres n'avaient pas vu leur père revenir de la guerre. Tout en l'écoutant, j'avais en mémoire d'identiques petites cérémonies auxquelles j'avais participé moi aussi, écolière, devant le mur d'une cour derrière lequel le monde ronronnait. Nous étions endimanchées et maladroites, sentions l'eau de Cologne et la savonnette, émues lorsque la maîtresse se mettait près de l'une d'entre nous, souriant en fixant cet appareil un peu magique, posé sur pieds et doté d'un voile noir sous lequel disparaissait l'homme et qui annonçait l'envol d'un improbable oiseau.

Ton oncle était sans doute fier de ce qu'il t'avait transmis, dont tu t'étais émancipé pour, à ton tour et d'une tout autre façon, retenir quelques images du monde en marche. C'était ce qui rapprochait les chevaux de Camargue et ce dimanche avec lui, la nécessité dans ce moment, sous cette pluie sans fin et dans ma course un peu folle, de trouver comment penser à toi, au vieil homme, qui sans doute souriait lui aussi sur un vieux cliché perdu quelque part, dans un même alignement austère de petits tabliers noirs et lustrés, de crânes aux cheveux ras, de galoches aux semelles de bois. Je refusais de le garder en mémoire dans son seul envol au-dessus du vide, j'avais besoin de l'inscrire dans le temps, son temps, c'était sans doute le sens de son sourire. Il me le demandait.

Je me suis souvenue alors du silence des photographies de Claude Batho, de ce qu'elle appelait « le moment des choses ». J'ai revu tous ces paysages noyés dans la brume ou dans le saisissement furtif d'une fragile lumière, j'ai revu *L'Arbre et l'Oiseau*, et l'une des dernières photographies prises à Héry, peu de temps avant sa mort, où le soleil ne parvient pas à percer un épais brouillard et rend tout espoir impuissant.

J'ai pensé à *La Balançoire*, toujours à Héry et datant de 1980, une campagne qui semble être de ces endroits élus et aimés où des enfants radieux grandissent en paix, où les objets témoignent de la vie, d'une présence humaine qui n'a nul besoin d'être visible pour être évidente, où derrière les voilages des fenêtres closes la nature continue de hanter les rêves et les cauchemars. Une nature où se promènent les morts bien après leur disparition.

La Balançoire, surtout, me touche infiniment. Il me suffit de l'évoquer pour que surgissent avec une précision presque parfaite les moindres détails de l'image. Elle est suspendue dans le vide puisqu'on ne peut voir ce à quoi elle est accrochée, immobile au-dessus d'une prairie en pente et voilée dans une brume qui mange un peu le ciel, bordée d'un chemin que de vagues buissons délimitent en s'accrochant aux piquets qui les tiennent. Un enfant venait-il d'en descendre ? Était-elle au contraire figée depuis des années ? Je ne peux m'empêcher de faire un lien entre cet objet immobile et l'envol de l'homme sur le quai du métro, un cruel raccourci entre l'enfance et le grand âge.

La Balançoire de Claude Batho s'est souvent faufilée dans les réminiscences de lointaines scènes de mon enfance, quand ma mère fredonnait, *Une demoiselle sur une balançoire se balançait à la fête un dimanche* et que j'imaginais *ses jambes blanches sous le jupon noir.* Il y avait dans ces mots, me semble-t-il aujourd'hui, une douceur érotique qui troublait la voix de ma mère chantant sur celle de Montand, qu'elle adulait.

À cette époque, elle m'emmenait parfois au jardin public, m'asseyait sur un des deux sièges de ces petites barques en fer accrochées à un portique, des balançoires qui ressemblaient aux bateaux en papier qu'elle me confectionnait les jours d'ennui. J'aimais ces instants légers et intimes. Je revois les bas à coutures qu'elle portait dans ses sandales à semelles compensées et ses robes courtes en crêpe ou en coton. Je revois des jours ensoleillés, de longs après-midi où elle liait parfois conversation avec une femme de hasard promenant elle aussi son enfant, m'imposant alors un ou une partenaire dans la balançoire. Je n'aimais pas toujours ces rencontres qui bousculaient notre intimité, je réclamais la plupart du temps de quitter mon siège, je voulais que nous nous éloignions.

Je crois me souvenir que lorsque ma mère avait cessé de chanter cet air, mon père, lui, avait commencé sa longue et lente disparition.

Dans l'immobilité de la planche suspendue au-dessus d'un pré noyé dans la brume qu'a photographiée Claude Batho peu de temps avant sa mort et dont le souvenir me bouleverse ce matin, je lis que le vieil homme est entré pour toujours dans ma vie.

J'ai fait une dernière halte au Bon-Coin, en bas de chez moi. Tout en me considérant dans ma triste apparence de chien mouillé, le garçon m'a demandé si tu arrivais, tu arrives toujours un peu après moi. Je ne sais plus ce que j'ai bredouillé en guise de réponse. Il a fait une remarque pertinente sur le déluge qui n'en finissait pas. J'ai bu une tasse brûlante qui m'a réconfortée. J'ai cru rêver en voyant passer une femme échevelée poussant un landau et portant la robe verte. Je me suis dit que j'étais dans une histoire insensée depuis la veille et que tout s'organisait à mon insu, que j'en étais l'actrice docile et un peu dépassée. J'ai fait le projet raisonnable d'aller dormir un peu.

La mort m'avait approchée en souriant. Ce qui me liait à l'homme du métro, c'était ce mystère qui l'avait construit, le mystère de la mort. J'étais à bout de forces, comme si mon corps était en morceaux, disloqué, comme s'il avait retrouvé la mémoire d'anciennes chutes, comme si le geste du vieil homme, au-delà de la violence et de l'émotion qu'il avait suscitée en moi, était un révélateur.

J'ai pensé que quelque chose ne respirait plus entre nous, que non seulement les mots étaient impuissants, mais que les gestes avaient peu à peu disparu. J'ai pensé, sans doute à cause de cette image obsédante de sa chute, que nous étions nous aussi au bord d'un quai et en danger.

Je suis rentrée chez moi comme si je fonçais dans une vague, j'ai échoué dans ce fauteuil d'où je te parle depuis tout à l'heure sans que tu puisses m'entendre. Si je me lève, je ne tiens pas debout, tout tourne autour de moi, je n'ai pas la force de mettre un peu d'ordre dans cette nuit qui me revient par bribes, je crains de ne pas bien saisir ce qui me concerne, ce qui nous concerne, dans ce bouleversement. Je ne suis pas sûre non plus de le vouloir.

Ce sont toujours les mêmes images qui me hantent. L'apesanteur d'un corps abandonné au vide est d'une étrange et inquiétante beauté, il apparaît soudain mobilisé et offert, tout entier pris dans un élan dont on ne veut croire qu'il s'enfonce dans la nuit. La fin brutale qui lui succède en est d'autant plus insupportable. Pourtant, il me semble que peu à peu le sourire du vieil homme prend une autre importance au fil des heures, qu'il m'accompagne avec une sorte de douceur que jusque-là je n'arrivais pas à percevoir et que les derniers mots de l'homme du tango m'ont d'une certaine façon révélée.

Dans la rue immobile surgit à nouveau le couple en guerre. Une paix provisoire a rapproché leurs corps, ils se tiennent par la taille, elle a posé sa tête sur les épaules de l'homme, qui fume une cigarette. De temps en temps il accompagne son discours de gestes vifs. Elle ne répond pas, elle consent ou pense à autre chose, blottie dans les bras qui l'emportent au rythme de leurs pas. Je détourne le regard, j'attends qu'ils disparaissent. Je pense à toi.

Il sera bientôt l'heure d'appeler l'hôtel des Embruns, je n'ai toujours pas écouté ton message, je l'écouterai après, peut-être. Tu n'as pas fermé les volets ni tiré les rideaux. Tu ouvres la fenêtre, tu as sorti tes appareils. Un léger grain voile l'horizon et semble alourdir le vol des mouettes. Tu hésites. Tu hésites toujours avant de prendre une photographie, il y a toujours ce moment suspendu où tu sembles anticiper l'image, où elle s'inscrit dans ton regard avant d'exister, puis tu saisis l'appareil, tu le manipules comme pour retrouver votre complicité et tu restes ainsi quelques secondes à fixer ta proie avant de faire le geste que tu vas répéter plusieurs fois comme pour assouvir ton désir, l'épuiser. Ensuite, tu es immobile, bras ballants, tenant ton appareil à distance, saisi d'un doute.

Ou alors tu es seulement là, debout devant

la fenêtre, tu te souviens tout à coup d'autres fois dans cette chambre, du petit matin où tu m'avais cherché des yeux sur la plage. Je m'étais réveillée très tôt, j'étais descendue pour marcher sur le sable et m'étais éloignée sans m'en apercevoir. C'était au tout début de nos séjours chez madame Odette, dans l'élan de ce beau hasard que les ciels de Turner nous avaient offert. Tu faisais semblant de dormir, j'avais fait semblant de te croire et j'étais sortie.

La plage était déserte, la mer d'un gris d'acier, calme et à marée basse. J'étais allée à sa rencontre, pieds nus, m'enfonçant dans des flaques qui se creusaient sous mon pas. Quelques vols de mouettes ou de cormorans rasaient le sol en silence. L'hiver se terminait, bientôt nous renoncerions à ces petites échappées pour ne pas nous retrouver enfouis dans une foule excitée par les premiers beaux jours. J'avais marché longtemps en direction du port. Je sentais dans tout mon corps quelque chose de chaud, quelque chose de vivant, et aussi l'odeur de nos draps qui me suivait malgré un vent froid me faisant frissonner. Je me souviens avoir pensé, *Cet amour existe, il a résisté, il résiste à nos maladresses.*

Quand je m'étais retournée, tu venais à ma rencontre. Nous étions allés manger des huîtres en place d'un petit déjeuner.

Mais c'est peut-être à Nantes que tu rêves, là où je ne peux t'imaginer.

Je pense à Irène, à la peur tapie au fond d'un couloir d'hôpital où toutes les portes sont fermées et où le silence est un cri. Le jour se lève malgré le ciel d'acier, je suis épuisée, tout me semble irréel.

Sauf cette pluie, bien réelle et qui ne faiblit pas, qui crépite sur le zinc de la fenêtre avec obstination, *La pleureuse,* disait Georges qui savait la prévoir, *l'herbe monte, demain il pleut.* Toute petite j'aimais déjà sa façon simple de dire la vie.

Mes vêtements sèchent sur moi, je n'ai pas eu la force de les quitter, je suis lovée dans les bras du fauteuil qui me porte. Les toits d'en face brillent sous la faible lumière de l'aube. J'aperçois mon voisin de palier qui court jusqu'à sa voiture, puis ressort en faisant des grands signes à sa femme qui lui jette un sac. Je suis spectatrice d'un monde lointain, auquel je ne parviens pas à me raccrocher.

J'ai toujours aimé la pluie, les siestes déraisonnables qu'elle suggère, les traversées téméraires d'une ville inconnue en quête d'un abri, d'un chemin de traverse ; j'aime la pluie le dimanche, la pluie dans un port.

Rappelle-toi Sète. Les quais huileux avaient

perdu l'odeur de gasoil qui nous écœurait. Nous parcourions la ville à grandes enjambées, cherchant un hôtel de fortune en plein été, n'en trouvant pas, faisant le projet de monter à bord d'un bateau pour y dormir la nuit sous des bâches. Nous avions grimpé jusqu'au cimetière marin d'où la mer semblait aussi vaste que le ciel, aussi grise, aussi inquiétante. Tu cherchais Brassens qui reposait ailleurs, à quelques kilomètres, tu t'asseyais sur la tombe de Vilar en récitant des vers, je te confiais ma tendresse pour les cimetières, tu te moquais. C'était en un temps incertain.

Et puis cette pluie des champs que j'ai tant aimée, les vastes prés de Georges où je fréquentais ses belles et opulentes bovines blanches, rassemblées en un corps à corps presque sensuel sous les chênes qui bordaient la haie, le poil collé par l'averse, l'œil maussade, la mâchoire en perpétuel mouvement. Je courais à leur secours sans attendre les consignes de Georges, j'ouvrais la barrière et elles s'élançaient sur le chemin, solidaires, le piétinaient, se bousculaient jusqu'à l'étable où l'odeur du foin et de la paille s'exhalait dans la tiédeur.

Pluie d'enfance.

Aujourd'hui encore, je la sens sur la peau, j'en frissonne, je retrouve l'odeur de la terre, de l'herbe, des bêtes. Un désir violent me vient d'en être imprégnée comme lorsque je rentrais le soir, crottée et dans une sorte d'exaltation qui semblait inquiéter ma mère. Elle me trempait dans une bassine d'eau chaude et me flanquait au lit. Je m'endormais aussitôt.

Je m'endormais d'un sommeil que je n'ai jamais retrouvé depuis, un sommeil magnifié par la grâce de ces jours heureux, pleins, où le plaisir habitait tout mon corps, le faisait se déployer. C'est avec ce souvenir que je me suis endormie dans le fauteuil, et puis soudain j'entrais dans la chambre de l'hôtel des Embruns que je ne reconnaissais pas, une chambre blanche et presque vide. Tu étais debout devant la fenêtre ouverte, de dos, regardant la mer ou cherchant quelque chose, quelqu'un. J'avançais sur la pointe des pieds et m'apprêtais à prendre une de ces photographies clandestines de toi, mais tu te retournais, je n'arrivais pas à lire ce qui se passait sur ton visage, et je me suis réveillée.

Il était déjà un peu tard, j'ai appelé l'hôtel. Le veilleur de nuit m'a appris que tu venais de partir. Je lui ai demandé où, et ma question l'a surpris bien sûr. Je me suis excusée pour ce rendez-vous manqué, je lui ai demandé de transmettre ces excuses à madame Odette.

Quel train as-tu pris ? Es-tu en route pour Paris ou pour Nantes ? Si tu viens à Paris, je saurai ce que je cherchais en retenant la chambre des Embruns, mais c'est à Nantes que je t'appelle et que je laisse un message, un message que sans doute tu ne comprendras pas, pas tout de suite, sans les mots habituels et un peu usés qui ne sont sans doute plus à la hauteur, un message qui cependant me contient tout entière, où je tente de te dire que nous devons inventer autre chose, que je veux autre chose, parce que nous sommes vivants,

Écoute la pluie…

DU MÊME AUTEUR

Chez Sabine Wespieser éditeur

BOLÉRO, 2003

UN CERTAIN FELLONI, 2004

LA PETITE TROTTEUSE, 2005 (Folio n° 4513)

LE CANAPÉ ROUGE, 2007 (Folio n° 4869)

SUR LE SABLE, 2009 (Folio n° 5114)

NINA PAR HASARD, 2010 (première édition : *Le Seuil*, 2001) (Folio n° 5309)

UN LAC IMMENSE ET BLANC, 2011 (Folio n° 5539)

VICTOR DOJLIDA, UNE VIE DANS L'OMBRE, 2013 (première édition : *Noésis*, 2001) (Folio n° 5774)

ÉCOUTE LA PLUIE, 2013 (Folio n° 5773)

Chez d'autres éditeurs

LA BELLE INUTILE, *Le Rocher*, 1991

UN HOMME ASSIS, *Manya*, 1993 (coll. *Librio* 2000)

UNE SIMPLE CHUTE, *Actes Sud*, coll. Babel noir, 1997

QUE LA NUIT DEMEURE, *Actes Sud*, coll. Babel noir, 1999

DISPARITIONS BUCOLIQUES, avec Gianni Burattoni, *Gallimard*, coll. Le Promeneur, 2010

MAIS D'OÙ VENEZ-VOUS ?, avec Sylvie Granotier, *Le Seuil*, 2010

OÙ SONT LES ARBRES ?, dessins de Gianni Burattoni, *Circa 1924*, 2013

COLLECTION FOLIO

Dernières parutions

5456. Italo Calvino	*Le sentier des nids d'araignées*
5457. Italo Calvino	*Le vicomte pourfendu*
5458. Italo Calvino	*Le baron perché*
5459. Italo Calvino	*Le chevalier inexistant*
5460. Italo Calvino	*Les villes invisibles*
5461. Italo Calvino	*Sous le soleil jaguar*
5462. Lewis Carroll	*Misch-Masch* et autres textes de jeunesse
5463. Collectif	*Un voyage érotique. Invitation à l'amour dans la littérature du monde entier*
5464. François de La Rochefoucauld	*Maximes* suivi de *Portrait de de La Rochefoucauld par lui-même*
5465. William Faulkner	*Coucher de soleil* et autres Croquis de La Nouvelle-Orléans
5466. Jack Kerouac	*Sur les origines d'une génération* suivi de *Le dernier mot*
5467. Liu Xinwu	*La Cendrillon du canal* suivi de *Poisson à face humaine*
5468. Patrick Pécherot	*Petit éloge des coins de rue*
5469. George Sand	*Le château de Pictordu*
5470. Montaigne	*Sur l'oisiveté* et autres Essais en français moderne
5471. Martin Winckler	*Petit éloge des séries télé*
5472. Rétif de La Bretonne	*La Dernière aventure d'un homme de quarante-cinq ans*
5473. Pierre Assouline	*Vies de Job*
5474. Antoine Audouard	*Le rendez-vous de Saigon*
5475. Tonino Benacquista	*Homo erectus*
5476. René Fregni	*La fiancée des corbeaux*

5477. Shilpi Somaya Gowda	*La fille secrète*
5478. Roger Grenier	*Le palais des livres*
5479. Angela Huth	*Souviens-toi de Hallows Farm*
5480. Ian McEwan	*Solaire*
5481. Orhan Pamuk	*Le musée de l'Innocence*
5482. Georges Perec	*Les mots croisés*
5483. Patrick Pécherot	*L'homme à la carabine. Esquisse*
5484. Fernando Pessoa	*L'affaire Vargas*
5485. Philippe Sollers	*Trésor d'Amour*
5487. Charles Dickens	*Contes de Noël*
5488. Christian Bobin	*Un assassin blanc comme neige*
5490. Philippe Djian	*Vengeances*
5491. Erri De Luca	*En haut à gauche*
5492. Nicolas Fargues	*Tu verras*
5493. Romain Gary	*Gros-Câlin*
5494. Jens Christian Grøndahl	*Quatre jours en mars*
5495. Jack Kerouac	*Vanité de Duluoz. Une éducation aventureuse 1939-1946*
5496. Atiq Rahimi	*Maudit soit Dostoïevski*
5497. Jean Rouaud	*Comment gagner sa vie honnêtement. La vie poétique, I*
5498. Michel Schneider	*Bleu passé*
5499. Michel Schneider	*Comme une ombre*
5500. Jorge Semprun	*L'évanouissement*
5501. Virginia Woolf	*La Chambre de Jacob*
5502. Tardi-Pennac	*La débauche*
5503. Kris et Étienne Davodeau	*Un homme est mort*
5504. Pierre Dragon et Frederik Peeters	*R G Intégrale*
5505. Erri De Luca	*Le poids du papillon*
5506. René Belleto	*Hors la loi*
5507. Roberto Calasso	*K.*
5508. Yannik Haenel	*Le sens du calme*
5509. Wang Meng	*Contes et libelles*
5510. Julian Barnes	*Pulsations*
5511. François Bizot	*Le silence du bourreau*

5512. John Cheever *L'homme de ses rêves*
5513. David Foenkinos *Les souvenirs*
5514. Philippe Forest *Toute la nuit*
5515. Éric Fottorino *Le dos crawlé*
5516. Hubert Haddad *Opium Poppy*
5517. Maurice Leblanc *L'Aiguille creuse*
5518. Mathieu Lindon *Ce qu'aimer veut dire*
5519. Mathieu Lindon *En enfance*
5520. Akira Mizubayashi *Une langue venue d'ailleurs*
5521. Jón Kalman Stefánsson *La tristesse des anges*
5522. Homère *Iliade*
5523. E.M. Cioran *Pensées étranglées* précédé du *Mauvais démiurge*
5524. Dôgen *Corps et esprit. La Voie du zen*
5525. Maître Eckhart *L'amour est fort comme la mort* et autres textes
5526. Jacques Ellul *«Je suis sincère avec moi-même»* et autres lieux communs
5527. Liu An *Du monde des hommes. De l'art de vivre parmi ses semblables.*
5528. Sénèque *De la providence* suivi de *Lettres à Lucilius (lettres 71 à 74)*
5529. Saâdi *Le Jardin des Fruits. Histoires édifiantes et spirituelles*
5530. Tchouang-tseu *Joie suprême* et autres textes
5531. Jacques de Voragine *La Légende dorée. Vie et mort de saintes illustres*
5532. Grimm *Hänsel et Gretel* et autres contes
5533. Gabriela Adameşteanu *Une matinée perdue*
5534. Eleanor Catton *La répétition*
5535. Laurence Cossé *Les amandes amères*
5536. Mircea Eliade *À l'ombre d'une fleur de lys...*
5537. Gérard Guégan *Fontenoy ne reviendra plus*
5538. Alexis Jenni *L'art français de la guerre*
5539. Michèle Lesbre *Un lac immense et blanc*
5540. Manset *Visage d'un dieu inca*

5541. Catherine Millot	O Solitude
5542. Amos Oz	*La troisième sphère*
5543. Jean Rolin	*Le ravissement de Britney Spears*
5544. Philip Roth	*Le rabaissement*
5545. Honoré de Balzac	*Illusions perdues*
5546. Guillaume Apollinaire	*Alcools*
5547. Tahar Ben Jelloun	*Jean Genet, menteur sublime*
5548. Roberto Bolaño	*Le Troisième Reich*
5549. Michaël Ferrier	*Fukushima. Récit d'un désastre*
5550. Gilles Leroy	*Dormir avec ceux qu'on aime*
5551. Annabel Lyon	*Le juste milieu*
5552. Carole Martinez	*Du domaine des Murmures*
5553. Éric Reinhardt	*Existence*
5554. Éric Reinhardt	*Le système Victoria*
5555. Boualem Sansal	*Rue Darwin*
5556. Anne Serre	*Les débutants*
5557. Romain Gary	*Les têtes de Stéphanie*
5558. Tallemant des Réaux	*Historiettes*
5559. Alan Bennett	*So shocking !*
5560. Emmanuel Carrère	*Limonov*
5561. Sophie Chauveau	*Fragonard, l'invention du bonheur*
5562. Collectif	*Lecteurs, à vous de jouer !*
5563. Marie Darrieussecq	*Clèves*
5564. Michel Déon	*Les poneys sauvages*
5565. Laura Esquivel	*Vif comme le désir*
5566. Alain Finkielkraut	*Et si l'amour durait*
5567. Jack Kerouac	*Tristessa*
5568. Jack Kerouac	*Maggie Cassidy*
5569. Joseph Kessel	*Les mains du miracle*
5570. Laure Murat	*L'homme qui se prenait pour Napoléon*
5571. Laure Murat	*La maison du docteur Blanche*
5572. Daniel Rondeau	*Malta Hanina*
5573. Brina Svit	*Une nuit à Reykjavík*
5574. Richard Wagner	*Ma vie*
5575. Marlena de Blasi	*Mille jours en Toscane*

5577. Benoît Duteurtre	*L'été 76*
5578. Marie Ferranti	*Une haine de Corse*
5579. Claude Lanzmann	*Un vivant qui passe*
5580. Paul Léautaud	*Journal littéraire. Choix de pages*
5581. Paolo Rumiz	*L'ombre d'Hannibal*
5582. Colin Thubron	*Destination Kailash*
5583. J. Maarten Troost	*La vie sexuelle des cannibales*
5584. Marguerite Yourcenar	*Le tour de la prison*
5585. Sempé-Goscinny	*Les bagarres du Petit Nicolas*
5586. Sylvain Tesson	*Dans les forêts de Sibérie*
5587. Mario Vargas Llosa	*Le rêve du Celte*
5588. Martin Amis	*La veuve enceinte*
5589. Saint Augustin	*L'Aventure de l'esprit*
5590. Anonyme	*Le brahmane et le pot de farine*
5591. Simone Weil	*Pensées sans ordre concernant l'amour de Dieu*
5592. Xun zi	*Traité sur le Ciel*
5593. Philippe Bordas	*Forcenés*
5594. Dermot Bolger	*Une seconde vie*
5595. Chochana Boukhobza	*Fureur*
5596. Chico Buarque	*Quand je sortirai d'ici*
5597. Patrick Chamoiseau	*Le papillon et la lumière*
5598. Régis Debray	*Éloge des frontières*
5599. Alexandre Duval-Stalla	*Claude Monet - Georges Clemenceau : une histoire, deux caractères*
5600. Nicolas Fargues	*La ligne de courtoisie*
5601. Paul Fournel	*La liseuse*
5602. Vénus Khoury-Ghata	*Le facteur des Abruzzes*
5603. Tuomas Kyrö	*Les tribulations d'un lapin en Laponie*
5605. Philippe Sollers	*L'Éclaircie*
5606. Collectif	*Un oui pour la vie ?*
5607. Éric Fottorino	*Petit éloge du Tour de France*
5608. E.T.A. Hoffmann	*Ignace Denner*
5609. Frédéric Martinez	*Petit éloge des vacances*

5610. Sylvia Plath — *Dimanche chez les Minton et autres nouvelles*
5611. Lucien — *« Sur des aventures que je n'ai pas eues ». Histoire véritable*
5612. Julian Barnes — *Une histoire du monde en dix chapitres ½*
5613. Raphaël Confiant — *Le gouverneur des dés*
5614. Gisèle Pineau — *Cent vies et des poussières*
5615. Nerval — *Sylvie*
5616. Salim Bachi — *Le chien d'Ulysse*
5617. Albert Camus — *Carnets I*
5618. Albert Camus — *Carnets II*
5619. Albert Camus — *Carnets III*
5620. Albert Camus — *Journaux de voyage*
5621. Paula Fox — *L'hiver le plus froid*
5622. Jérôme Garcin — *Galops*
5623. François Garde — *Ce qu'il advint du sauvage blanc*
5624. Franz-Olivier Giesbert — *Dieu, ma mère et moi*
5625. Emmanuelle Guattari — *La petite Borde*
5626. Nathalie Léger — *Supplément à la vie de Barbara Loden*
5627. Herta Müller — *Animal du cœur*
5628. J.-B. Pontalis — *Avant*
5629. Bernhard Schlink — *Mensonges d'été*
5630. William Styron — *À tombeau ouvert*
5631. Boccace — *Le Décaméron. Première journée*
5632. Isaac Babel — *Une soirée chez l'impératrice*
5633. Saul Bellow — *Un futur père*
5634. Belinda Cannone — *Petit éloge du désir*
5635. Collectif — *Faites vos jeux !*
5636. Collectif — *Jouons encore avec les mots*
5637. Denis Diderot — *Sur les femmes*
5638. Elsa Marpeau — *Petit éloge des brunes*
5639. Edgar Allan Poe — *Le sphinx*
5640. Virginia Woolf — *Le quatuor à cordes*
5641. James Joyce — *Ulysse*
5642. Stefan Zweig — *Nouvelle du jeu d'échecs*

5643. Stefan Zweig	*Amok*
5644. Patrick Chamoiseau	*L'empreinte à Crusoé*
5645. Jonathan Coe	*Désaccords imparfaits*
5646. Didier Daeninckx	*Le Banquet des Affamés*
5647. Marc Dugain	*Avenue des Géants*
5649. Sempé-Goscinny	*Le Petit Nicolas, c'est Noël !*
5650. Joseph Kessel	*Avec les Alcooliques Anonymes*
5651. Nathalie Kuperman	*Les raisons de mon crime*
5652. Cesare Pavese	*Le métier de vivre*
5653. Jean Rouaud	*Une façon de chanter*
5654. Salman Rushdie	*Joseph Anton*
5655. Lee Seug-U	*Ici comme ailleurs*
5656. Tahar Ben Jelloun	*Lettre à Matisse*
5657. Violette Leduc	*Thérèse et Isabelle*
5658. Stefan Zweig	*Angoisses*
5659. Raphaël Confiant	*Rue des Syriens*
5660. Henri Barbusse	*Le feu*
5661. Stefan Zweig	*Vingt-quatre heures de la vie d'une femme*
5662. M. Abouet/C. Oubrerie	*Aya de Yopougon, 1*
5663. M. Abouet/C. Oubrerie	*Aya de Yopougon, 2*
5664. Baru	*Fais péter les basses, Bruno !*
5665. William S. Burroughs/ Jack Kerouac	*Et les hippopotames ont bouilli vifs dans leurs piscines*
5666. Italo Calvino	*Cosmicomics, récits anciens et nouveaux*
5667. Italo Calvino	*Le château des destins croisés*
5668. Italo Calvino	*La journée d'un scrutateur*
5669. Italo Calvino	*La spéculation immobilière*
5670. Arthur Dreyfus	*Belle Famille*
5671. Erri De Luca	*Et il dit*
5672. Robert M. Edsel	*Monuments Men*
5673. Dave Eggers	*Zeitoun*
5674. Jean Giono	*Écrits pacifistes*
5675. Philippe Le Guillou	*Le pont des anges*
5676. Francesca Melandri	*Eva dort*

5677. Jean-Noël Pancrazi	*La montagne*
5678. Pascal Quignard	*Les solidarités mystérieuses*
5679. Leïb Rochman	*À pas aveugles de par le monde*
5680. Anne Wiazemsky	*Une année studieuse*
5681. Théophile Gautier	*L'Orient*
5682. Théophile Gautier	*Fortunio. Partie carrée. Spirite*
5683. Blaise Cendrars	*Histoires vraies*
5684. David McNeil	*28 boulevard des Capucines*
5685. Michel Tournier	*Je m'avance masqué*
5686. Mohammed Aïssaoui	*L'étoile jaune et le croissant*
5687. Sebastian Barry	*Du côté de Canaan*
5688. Tahar Ben Jelloun	*Le bonheur conjugal*
5689. Didier Daeninckx	*L'espoir en contrebande*
5690. Benoît Duteurtre	*À nous deux, Paris !*
5691. F. Scott Fitzgerald	*Contes de l'âge du jazz*
5692. Olivier Frébourg	*Gaston et Gustave*
5693. Tristan Garcia	*Les cordelettes de Browser*
5695. Bruno Le Maire	*Jours de pouvoir*
5696. Jean-Christophe Rufin	*Le grand Cœur*
5697. Philippe Sollers	*Fugues*
5698. Joy Sorman	*Comme une bête*
5699. Avraham B. Yehoshua	*Rétrospective*
5700. Émile Zola	*Contes à Ninon*
5701. Vassilis Alexakis	*L'enfant grec*
5702. Aurélien Bellanger	*La théorie de l'information*
5703. Antoine Compagnon	*La classe de rhéto*
5704. Philippe Djian	*"Oh..."*
5705. Marguerite Duras	*Outside* suivi de *Le monde extérieur*
5706. Joël Egloff	*Libellules*
5707. Leslie Kaplan	*Millefeuille*
5708. Scholastique Mukasonga	*Notre-Dame du Nil*
5709. Scholastique Mukasonga	*Inyenzi ou les Cafards*
5710. Erich Maria Remarque	*Après*
5711. Erich Maria Remarque	*Les camarades*
5712. Jorge Semprun	*Exercices de survie*
5713. Jón Kalman Stefánsson	*Le cœur de l'homme*

5714. Guillaume Apollinaire *« Mon cher pe*
5715. Jorge Luis Borges *Le Sud*
5716. Thérèse d'Avila *Le Château int*
5717. Chamfort *Maximes*
5718. Ariane Charton *Petit éloge de l*
5719. Collectif *Le goût du zen*
5720. Collectif *À vos marques*
5721. Olympe de Gouges *« Femme, révei*
5722. Tristan Garcia *Le saut de Mal*
5723. Silvina Ocampo *La musique de*
5724. Jules Verne *Voyage au centr*
5725. J. G. Ballard *La trilogie de b*
5726. François Bégaudeau *Un démocrate : 1960-1969*
5727. Julio Cortázar *Un certain Luca*
5728. Julio Cortázar *Nous l'aimons t*
5729. Victor Hugo *Le Livre des Tab*
5730. Hillel Halkin *Melisande ! Que rêves ?*
5731. Lian Hearn *La maison de l'A*
5732. Marie Nimier *Je suis un homm*
5733. Daniel Pennac *Journal d'un cor*
5734. Ricardo Piglia *Cible nocturne*
5735. Philip Roth *Némésis*
5736. Martin Winckler *En souvenir d'An*
5737. Martin Winckler *La vacation*
5738. Gerbrand Bakker *Le détour*
5739. Alessandro Baricco *Emmaüs*
5740. Catherine Cusset *Indigo*

Composition Nord Compo
Impression Novoprint
à Barcelone, le 19 mai 2014
Dépôt légal : mai 2014
1er dépôt légal dans la collection : avril 2014

ISBN 978-2-07-045442-6./ Imprimé en Espagne.

1646